O FUTURO DA PROPAGANDA

A Editora Cultrix e o grupo Meio & Mensagem se uniram para publicar o que há de melhor e mais destacado na área de *business*. Trata-se de livros dirigidos a profissionais de comunicação e marketing, assim como a executivos e estudantes de visão, que sabem da importância de se conhecer novos caminhos no mundo dos negócios e conquistar a excelência pessoal e profissional.

Extremamente criativas e inovadoras, essas obras apresentam ao leitor os desafios e oportunidades do campo empresarial, na ótica de seus maiores líderes. Alguns dos nossos autores dirigem seu próprio negócio e outros chegaram ao ponto mais alto de suas carreiras em grandes multinacionais. Mas todos, sem exceção, contam o que aprenderam em sua jornada profissional, levados pelo simples desejo de dividir com o leitor a sabedoria e experiência que adquiriram.

Esperamos que você, leitor, ciente de que vive num mundo cada vez mais exigente, ache essas obras tão inspiradoras e úteis quanto nós, da Editora Cultrix e do grupo Meio & Mensagem.

meio&mensagem

Joe Cappo

O FUTURO DA PROPAGANDA

Nova Mídia, Novos Clientes, Novos Consumidores na Era Pós-Televisão

Tradução
HENRIQUE A. R. MONTEIRO

EDITORA CULTRIX
São Paulo

Título do original: *The Future of Advertising*.

Dedicado à memória de Gertrude R. Crain, 1911-1996.

O primeiro número à esquerda indica a edição, ou reedição, desta obra. A primeira dezena à direita indica o ano em que esta edição, ou reedição, foi publicada.

Edição	Ano
1-2-3-4-5-6-7-8-9-10-11	04-05-06-07-08-09-10-11

Direitos de tradução para a língua portuguesa
adquiridos com exclusividade pela
EDITORA PENSAMENTO-CULTRIX LTDA.
Rua Dr. Mário Vicente, 368 — 04270-000 — São Paulo, SP
Fone: 6166-9000 — Fax: 6166-9008
E-mail: pensamento@cultrix.com.br
http://www.pensamento-cultrix.com.br
que se reserva a propriedade literária desta tradução.

Impresso em nossas oficinas gráficas.

SUMÁRIO

Prefácio 7

INTRODUÇÃO Reminiscências da Arena da Propaganda de um Ponto de Vista Privilegiado 15

CAPÍTULO 1 E de Repente Eram Quatro
Um Antigo Negócio de Empreendedor Consolida-se num Punhado de Grandes Empresas Holdings 21

CAPÍTULO 2 O que Fazer Quando a Árvore do Dinheiro Seca?
A Comissão de 15 por Cento Acabou e, com Ela, a Principal Fonte de Renda das Agências 35

CAPÍTULO 3 A Propaganda Muda de Tom
O Setor Presta Mais Atenção à Forma e ao Funcionamento do Marketing 45

CAPÍTULO 4 Afogando-se na Mídia
Pouco a Pouco, a Proliferação Corrói o Poder dos Meios de Comunicação de Massa Tradicionais 59

CAPÍTULO 5 A Diluição da Criatividade
É Mais Difícil Atrair a Atenção de Consumidores Atolados em Mensagens Publicitárias 79

CAPÍTULO 6 Não Existe Mais Linha
Alternativas Antes Desprezadas Ganham Respeito e uma Fatia Maior do Bolo de Marketing 91

CAPÍTULO 7 Os Varejistas Flexionam os Músculos
A Consolidação do Setor de Varejo Eleva a Pressão
sobre Todos os Integrantes da Cadeia de Marketing 107

CAPÍTULO 8 Integração: A Chave para o Futuro
As Agências Precisam Mostrar que
"Mídia Neutra" é Mais do que Conversa Fiada 135

CAPÍTULO 9 Reinventando a Mídia e Outras Variações sobre o Tema
A Velha Mídia Leva ao Desenvolvimento
da Nova Mídia — com Algumas Inovações Tecnológicas.................. 145

CAPÍTULO 10 A Internet como Agente de Mudança
Reinventando a Maneira como nos Comunicamos, Compramos,
Vendemos, Investimos, Namoramos, Enviamos Cartões
de Felicitações e Marcamos uma Viagem... 165

CAPÍTULO 11 Quem São Essas Pessoas, Afinal?
Elas São Mais Velhas, Ricas, Atualizadas
e Familiarizadas com a Mídia do que Qualquer Outra
Geração de Consumidores.. 181

CAPÍTULO 12 Existe um Futuro para a Propaganda?
O Caminho à Frente é Sinuoso e Traiçoeiro,
e Mapas Confiáveis Estão Escassos.. 201

Referências Bibliográficas 213

PREFÁCIO

Na época em que escrevi este livro, eu vinha de um envolvimento de quase 35 anos com o negócio da propaganda. A primeira década daqueles anos, passei como jornalista, cobrindo o setor por um período que a meu ver abrangeu os anos mais inovadores e instigantes do negócio, começando em 1968.

Pouco tempo depois de ter sido contratado pela Crain Communications como colunista, os donos da empresa foram insensatos o bastante para me designar como *publisher* do *Crain's Chicago Business*. Embora os meus colegas de profissão chegassem a estremecer ante a idéia, minha função era a de vender anúncios para a publicação. Na época, porém, não dizíamos vender, mas "explicar o produto editorial".

Na verdade, era exatamente isso o que eu fazia. Os anunciantes não compravam o produto editorial ao colocar um anúncio na publicação; eles compravam a atenção dos leitores. E ninguém devia conhecer melhor os leitores do que o editor da publicação. No fundo, um bom editor é um especialista em marketing. Ele sabe o que o leitor quer e é capaz de satisfazê-lo de muitas maneiras, desde fazendo uma pesquisa em profundidade até apelando ao bom e tradicional instinto.

Depois de fazer dezenas de ligações junto ao pessoal de vendas, aprendi algumas coisas que a maioria dos jornalistas nunca compreende. Uma delas é que vender é um trabalho duro, e agradeço por nunca ter precisado ganhar a vida dessa maneira. Também aprendi que alguns vendedores liam a minha própria publicação e as publicações da concorrência com muito mais atenção do que eu jamais havia lido. Eles queriam aprender o máximo possível para aplicar no próprio trabalho de vendas. É uma pena que haja pouco entrosamento entre as áreas editorial e comercial nas editoras.

Além de fazer a cobertura jornalística e me interessar pelo processo de vendas, desempenhei também o papel de cliente, contratando e deixando de contratar agências de propaganda para as revistas *Crain's Chicago Business* e *Advertising Age*. Essa atividade me deu uma boa idéia do muito que o pessoal das agências de propaganda tem que aprender. Analisando as empresas há alguns anos, a direção do *Advertising Age* decidiu considerar diferentes tipos de agências, desde as conservadoras, que atendiam ao ramo dos negócios entre empresas, ou *business-to-business*, até as agências altamente criativas.

Aí havia uma profunda diferença. As empresas de B-to-B, na minha opinião, em grande parte faziam a lição de casa, examinavam os nossos problemas e tentavam propor soluções realísticas que poderíamos pôr em prática. Mas encontramos um publicitário talentoso altamente criativo — cujo nome não devo mencionar — que pensou que poderia ser contratado com base apenas na própria reputação. Ele chegou todo sorrisos e apertos de mãos, projetou um rolo inteiro de comerciais de sua autoria, então nos apresentou um tema de campanha capenga no qual aparentemente devia ter pensado durante a corrida de táxi a caminho da nossa sede.

Obviamente, ele não conseguiu a conta. Cometeu o erro de acreditar que é possível vender o chiado da fritura em lugar do bife. É uma pena, pois o chiado não só não satisfaz o apetite como também não alimenta. Fazer propaganda é resolver problemas. Não é o mesmo que fazer cinema. O que nos traz até este ponto.

A idéia para este livro surgiu em 1992 depois que escrevi um artigo para o *Advertising Age* em que sugeria que as agências de propaganda estavam passando por uma crise de identidade. Não criei o título do artigo, mas o editor que o redigiu aparentemente captou a idéia. O título era: "Agências: Mudar ou Fechar; Uma revolução total no mercado ameaça as leis estabelecidas".[1] Desnecessário dizer, o texto atraiu um bocado de atenção no setor.

Quando participei do encontro anual da American Association of Advertising Agencies (4As) alguns meses depois, John O'Toole, então presidente dessa associação e *chairman* da Foote, Cone & Belding, chamou-me de lado para conversar. Esperei sinceramente que o John, a quem conhecia havia muitos anos, fosse me dar a maior bronca. Ele não deu.

— Fiquei contente por alguém finalmente dizer o que ninguém quer ouvir — ele me falou. — Você pôs o assunto na pauta e vamos ter de discuti-lo.

Na ocasião, esqueci-me de que O'Toole, que passara a maior parte da sua ilustre carreira na propaganda na Foote, Cone & Belding, era um crítico renomado da propaganda. Em 1981, ele publicara um livro intitulado *The*

1. "*Agencies: Change or Die; Huge marketing revolution upsets old rules.*" (N. do T.)

Trouble with Advertising, questionando muitos métodos usados na propaganda.

Uma prova de que ele verdadeiramente entendia do delicado e tênue relacionamento entre o consumidor e a propaganda é que se atribui a O'Toole a frase: "Ao criar um anúncio, o ideal é se imaginar como um 'penetra' na sala de estar de um consumidor potencial que tem o poder mágico de fazer você desaparecer instantaneamente."

A propaganda precisa de mais gente como John O'Toole.

Demorei dez anos para passar daquele artigo no *Ad Age* a este livro, por várias razões. Talvez a mais importante tenha sido estar comprometido com as minhas atribuições profissionais, o que não me permitia um período de tempo corrido suficiente para me concentrar em escrever um livro. Estou acostumado a redigir uma coluna de oitocentas palavras. Um livro pode facilmente ser o equivalente a cem colunas, o resultado de uma produção de dois anos.

Houve ainda um outro fator. As mudanças no setor da propaganda estavam acontecendo muito rapidamente para ser registradas em um livro. A produção de um livro, mesmo depois de concluída a redação do texto, demora ainda alguns meses. O autor de uma obra que pretenda ser atual está à mercê de mudanças rápidas demais. Como exemplo disso, a aquisição da Bcom3 pelo Publicis Groupe foi anunciada depois que comecei a escrever e concluiu-se antes de eu concluir a redação dos originais.

Numa época de informações instantâneas e contínuas como a nossa, um jornalista tem dificuldade de controlar esse tipo de lapso de tempo. Quando entreguei os originais ao editor, temi que pudessem acontecer novas mudanças significativas que tornassem o trabalho descartável. Espero que isso não tenha acontecido, mas esse julgamento compete a você, leitor.

Devo agradecer a muitas pessoas que me ajudaram a reunir as informações que serviram de base para este livro e às que me ajudaram a produzi-lo. Na frente de todos estão aqueles que me permitiram usar as suas idéias sob o título de "Uma Outra Opinião...", que você encontrará no fim dos capítulos. A maioria desses textos foi publicada originalmente como artigos assinados na seção "Ponto de Vista"[2] do jornal *Advertising Age* ao longo dos dois anos anteriores à edição do livro.

Ao destacar esses ensaios, a minha intenção foi mostrar que não me considero uma autoridade exclusiva e suprema sobre o que está acontecendo no setor da propaganda. O meu objetivo foi apresentar muitas opiniões de fontes diferentes, ilustrando que a propaganda encontra-se em fase de transição

2. "Viewpoint." (N. do T.)

na sua evolução, e que esse tema é do interesse de muitos observadores e participantes do setor, concordem eles ou não com as minhas opiniões.

Preciso agradecer a várias pessoas que me deram idéias sobre assuntos dos quais eu não tinha um conhecimento aprofundado ou me apresentaram sugestões que me esclareceram ou fizeram mudar o enfoque sobre o assunto. Entre essas pessoas destacam-se Keith Reinhard, *chairman* da DDB International; Eric Strobel, sócio-gerente do The Partnering Group; Don Schultz, professor de comunicações de marketing integrado na Medill School of Journalism da Northwestern University; Brian Williams, presidente-CEO da Element 79; Wally O'Brien, diretor-geral da International Advertising Association; e David Verklin, CEO da Carat North America.

Sinto-me em débito com Max Kalehoff, da comScore Networks, e com Michael Zimbalist, da Online Publishers Association, por terem me proporcionado uma série considerável de pesquisas pertinentes sobre a Internet e as novas tecnologias. Entre os que me concederam entrevistas incluem-se Howard Draft (Draft Worldwide), Ian Reider (Antenna Research, México), Clemente Camara (Clemente Camara & Associates, México), Bud Frankel (Frankel & Company), Norm Goldring (fundadora da CPM Inc.), Jack Myers (*Jack Myers Report*), Peter Krivkovich (Cramer Krasselt Advertising), Gene Secunda (New York University), Tom Harris (mestre, consultor e autor de RP), Joe Pisani (University of Florida) e John Emmerling (Emmerling Communications).

Além disso, não conheço ninguém mais informado sobre os desafios do setor que Burtch Drake, presidente da 4As, e o seu vice-presidente-sênior, John Wolfe.

Agradeço em especial a Fred Danzig, que foi editor do *Ad Age* quando eu era o *publisher* e que depois se aposentou. Fred era alguém com quem eu sempre podia contar quando precisava de uma opinião. E não se fez de rogado quando recorri a ele outra vez quanto às perspectivas para o negócio da propaganda — e pedi para usar o seu texto do "Pontos de Vista".

Agradeço também a vários funcionários da Crain que contribuíram graciosamente para a minha obra. Entre eles destaco Mark Mandle, chefe do nosso centro de informações de Chicago, que desencavou muitas das estatísticas incluídas nesta obra, e Craig Endicott e Kevin Brown, responsáveis pelo banco de dados do *Advertising Age*. Vocês não fazem idéia de quanto esforço e atenção requerem as montanhas de dados que a nossa empresa produz todos os anos. Se me esqueci de outros, peço desculpas. Fiz o possível para me lembrar de todos.

Obrigado também a David Klein, vice-presidente e diretor editorial e de publicação do Ad Age Group, por me encorajar a escrever este livro acima de tudo, e a Rance Crain, o nosso presidente e editor-chefe, pelo seu apoio, financeiro e de outros tipos. Também devo um agradecimento à minha assistente de longa data, Mary Hryniszak, que admiravelmente conserva a sanidade mental depois de todos estes anos.

Este livro não teria sido publicado sem o entusiasmo e a perseverança da agente literária Cynthia Manson, que dedicou uma tremenda quantidade de tempo e esforços a este projeto.

Finalmente, devo enfatizar que todas as opiniões, observações e análises contidas neste livro pertencem ao autor ou às fontes citadas. Elas não pretendem refletir a opinião dos editores do jornal *Advertising Age* nem da administração da Crain Communications, Inc., para a qual trabalho desde 1978.

O FUTURO DA PROPAGANDA

INTRODUÇÃO

Reminiscências da Arena da Propaganda de um Ponto de Vista Privilegiado

Na maior parte da última metade do século XX, a propaganda era uma atividade excitante e divertida. O setor vinha de um crescimento acelerado que começara depois do fim da Segunda Guerra Mundial mas cujas raízes remontavam a 1929. Esse foi, é claro, o ano do colapso do mercado de ações. A esse seguiu-se a Grande Depressão, à qual se sucedeu imediatamente à entrada dos Estados Unidos na Segunda Guerra Mundial, em 1941.

Durante a década de 1930, as taxas de casamentos e de nascimentos caíram substancialmente. O desemprego jamais caiu abaixo de 14 por cento durante toda a década de 1930. Por quatro anos seguidos — de 1932 a 1936 — ele nunca foi inferior a 20 por cento.

A Depressão só terminou quando os Estados Unidos entraram na Segunda Guerra Mundial. Ao final da guerra, os Estados Unidos, assim como muitos outros países, tinham amargado quinze anos ou mais de privações. Os consumidores não tinham como comprar automóveis durante a Depressão, e não puderam adquiri-los durante a guerra porque eles não eram fabricados. As fábricas de automóveis, assim como muitas outras empresas, voltaram as suas linhas de montagem à produção de artefatos bélicos.

Quando a guerra terminou, em 1945, formou-se uma pressão sem precedentes para o retorno ao estilo de vida normal. Isso significou um aumento enorme no número de casamentos (acima de 42 por cento entre 1945 e 1946), a que se seguiu meses depois um aumento no número de nascimentos.

Foi o início do que se tornou conhecido como "Baby Boom", o período entre 1946 e 1964. Enquanto a década de 1930 registrou uma natalidade média de pouco mais de 2 milhões por ano, os nascimentos ampliaram-se para 3,6 milhões em 1948 e 4,3 milhões em 1957, até hoje o recorde de nascimentos em um único ano. No final das contas, mais de 75 milhões de americanos nasceram durante o Baby Boom, e esse significativo grupo etário permaneceu como um alvo fundamental para o pessoal de marketing ao longo de toda a extensão da sua vida. A demanda das famílias derivadas do Baby Boom por todos os tipos de produtos, de automóveis a televisores, foi algo impressionante.

O desenvolvimento da televisão foi que deu o tom e estabeleceu as prioridades do negócio da propaganda nas décadas seguintes. Da mesma maneira que a televisão levou Milton Berle e Edward R. Murrow para a sala de estar dos americanos, também introduziu outro recém-chegado que subsiste até hoje: o comercial de televisão.

A tecnologia e a criatividade podem ter sido um pouco desiguais, talvez até mesmo muito ruins, nos primeiros dias, mas durante as décadas de 1960 e 1970, os americanos assistiam a esplêndidos, memoráveis anúncios da Alka-Seltzer, Volkswagen, Pepsi-Cola, Benson & Hedges, 7UP e muitas outras marcas. Os espectadores assistiam aos comerciais com o mesmo interesse que tinham pela programação.

Diretores de agência criativos como Mary Wells, Jerry Della Femina e Bill Bernbach tornaram-se celebridades. Mas mais do que pessoas meramente criativas, eles também eram empresários desenvolvendo um negócio que os tornaria ricos.

Esses foram os dias vertiginosos no negócio da propaganda. Com exceção de 1971, quando os cigarros foram banidos da televisão e do rádio, os gastos com a propaganda não pararam de crescer. Um brilho resplandecente irradiou-se em torno do setor durante décadas. Para verdadeiras multidões de jovens, que sacrificariam qualquer coisa para arrumar um emprego na propaganda, aquele era o ramo ideal em que trabalhar.

Rapazes com diplomas da Ivy League[3] aceitavam trabalhar no setor de expedição, com a esperança de chamar a atenção dos superiores e assim conseguir passar para os departamentos de mídia ou de criação. Moças com curso superior aceitavam empregos de recepcionista, com salários incrivelmente baixos, esperando ansiosamente subir na hierarquia profissional ou quando muito encontrar um marido na empresa. (Esta não é uma observação machista, mas uma reflexão sincera sobre a época.)

Acima de tudo, era divertido e excitante. Pude testemunhar tudo isso de uma posição privilegiada. De 1968 a 1978, eu redigia uma coluna sobre propaganda, marketing e mídia, inicialmente para o *Chicago Daily News* e pouco depois para o *Chicago Sun-Times*.

Aquela foi a época dos lendários almoços de três martínis. Na verdade, quase tudo não passava de lenda, mas em alguns casos era a realidade

3. Ivy League: um grupo de faculdades e universidades do nordeste dos Estados Unidos, em especial Yale, Harvard, Princeton, Columbia, Dartmouth, Cornell, Pennsylvania e Brown, que tem a reputação de proporcionar um alto nível educacional e prestígio social. (N. do T.)

nua e crua. Acontecesse no Ratazzi's, em Nova York, ou no bar do Wrigley Building, em Chicago, o pessoal da propaganda tinha os seus bebedouros preferidos.

Aquela foi uma época, é bom lembrar, em que as despesas com entretenimento eram cem por cento dedutíveis, e não havia quase limite para a diversão. Existia algo como um escalonamento do entretenimento que estabelecia as regras do negócio. Os anunciantes ficavam no topo da escada, e a esses o pessoal das agências de propaganda pagava quanta bebida e comida fosse necessário. O pessoal das agências de propaganda, por sua vez, regularmente era alvo do entretenimento proporcionado pelos representantes da mídia. Para mim, o mais gratificante nisso tudo era que todos os três níveis da propaganda achavam vantajoso promover eventos para agradar ao pequeno grupo de jornalistas que cobria o setor. Em outras palavras, tínhamos uma porção de almoços grátis.

Na mídia, a televisão parecia gastar mais em eventos que qualquer um. Muito disso acontecia durante a alta estação, o período em que as redes tentam vender a programação do outono seguinte para os anunciantes.

Lembro-me de um evento no início da década de 1970, quando a ABC-TV alugou os salões de baile dos hotéis Ambassador East e West em Chicago. O evento começou com um coquetel, animado por um trio de jazz, para aproximadamente trezentas pessoas no Ambassador East. Depois de uma quantidade razoável de bebidas, uma equipe de modelos trajando minissaia (aceitável na época) passou pelo salão, carregando cartazes com a inscrição "Siga-me". Foi o que todo mundo fez.

Cruzamos a State Street, enquanto a polícia de Chicago interrompia o trânsito da rua, e entramos no Ambassador West. O salão de convenções do hotel estava decorado no estilo de um teatro. Embaixo de cada assento encontrava-se um balde de gelo, uma garrafa aberta de champanhe e uma taça. Isso era para manter o pessoal ocupado enquanto os executivos da rede exibiam com exclusividade os novos espetáculos.

Quando a apresentação terminou, o público foi conduzido a um salão vizinho, onde mais coquetéis estavam sendo servidos, acompanhados por *hors-d'oeuvres,* tudo animado pela música de uma banda de rock cujo nome não consigo lembrar. Uma hora depois, as portas do salão de convenções foram novamente abertas e serviu-se um lauto banquete. Eu me lembro da música do jantar. Era executada pela lendária orquestra de Stan Kenton.

Esse pode não ter sido o evento de mídia típico (então não teria deixado uma impressão tão duradoura em mim), mas não era assim tão incomum naqueles anos. Também me recordo de quando a CBS lotou o McCormick Place, montou uma réplica do cenário das filmagens de "M*A*S*H" e colocou ali todas as estrelas do seriado da televisão para confraternizar com os anunciantes e executivos das agências. Esse foi um evento para lá de inebriante para o anunciante, que depois podia ser convidado a viajar à Costa Oeste e passar algum tempo no cenário das filmagens enquanto "M*A*S*H" estava sendo gravado.

As redes de televisão não foram as únicas a promover eventos naquela época. As revistas de circulação nacional também deram a sua contribuição, embora nenhuma delas tenha se destacado tanto quanto o grupo Time Inc. A revista *Time*, por exemplo, comprou os direitos de estréia do filme *Tubarão*, de Steven Spielberg, em 1975. A empresa alugou o Esquire Theatre, em Chicago, serviu um lauto banquete para várias centenas de pessoas da propaganda no salão de entrada, depois ofereceu-lhes uma exibição do filme intensamente divulgado, dias antes de qualquer espectador pagante do público poder vê-lo.

Boa parte do pessoal da propaganda, incluindo este afortunado aqui, também não assistiu a *Todos os Homens do Presidente* em um cinema da maneira como as pessoas normais o fizeram. Nós desfrutamos uma pré-estréia do filme nas acomodações confortáveis da Mansão Playboy, com Hugh Hefner sentado no centro da primeira fileira, ladeado pelas modelos da *Playboy*. Cada vendedor de propaganda da revista tinha um grupo de anunciantes e compradores de mídia de agência como convidados.

Esse tipo de entretenimento podia não assegurar que o anunciante comprasse um espaço nas páginas na revista, mas ajudava. Mais que isso, era algo de que um comprador de mídia poderia jactar-se casualmente depois em uma conversa em que mencionar um título o colocasse em posição de vantagem.

Esse tipo de evento era na verdade dirigido ao escalão médio do pessoal da propaganda: compradores de mídia, gerentes administrativos, gerentes de publicidade e assemelhados. Outro tipo de evento maior era reservado aos cargos da administração superior das agências. Esse era o encontro anual da American Association of Advertising Agencies, tradicionalmente promovido no imponente e suntuoso Greenbrier Resort, no município de White Sulphur Springs, na Virgínia Ocidental.

Praticamente, não se tratava de negócios de verdade nessas reuniões, mas elas ofereciam uma oportunidade para os donos de agências se encontrar e se entrosar com outros donos de agência. Na década de 1960, mais ou menos oitocentas pessoas compareceram ao evento, que incluiu desde jantares a rigor animados por grandes astros e estrelas da época até jogos de golfe no campo impecavelmente aparado do Greenbrier — até mesmo incluindo quem sabe uma rodada com o campeão profissional Sam Snead.

Os executivos de mídia compareciam como convidados a essas reuniões e o papel deles era ser os anfitriões em uma série de festas e recepções em vários locais da vasta propriedade do Greenbrier. O mais incomum naquela época era que a maioria dos eventos era promovida por editoras de jornais e revistas. As redes de televisão promoviam eventos muito discretos e enviavam bem poucos ou nenhum representante, embora já estivessem acumulando uma grande parte dos dólares de propaganda gastos pelas agências.

Imagine um jovem jornalista sendo convidado a comparecer ao primeiro encontro anual da 4As e descobrindo ao chegar que o Greenbrier não aceitava cartões de crédito. Mas eles ficariam contentes, é claro, em enviar a conta à sua empresa.

Esses encontros da comunidade da propaganda continuam a se repetir todo ano. Raramente acontecem agora no Greenbrier. As reuniões são mais informais e a freqüência caiu para a metade do que era 33 anos atrás, uma outra vítima da consolidação no setor da propaganda.

Ainda hoje acontecem muitas festas no mundo atual da propaganda, mas definitivamente são menos alcoólicas que trinta anos atrás. E o publicitário de hoje está mais inclinado a comparecer a um almoço de três refrigerantes dietéticos do que a um de três martínis. Os grandes eventos do setor normalmente envolvem viagens ao Super Bowl ou às Olimpíadas, e são geralmente promovidos pela mídia que detém os direitos de transmissão, especialmente para clientes que adquiriram os patrocínios.

Ninguém pode negar que o negócio da propaganda mudou radicalmente desde aquela época, conforme espero demonstrar nas páginas seguintes. Não se trata mais da "propaganda como entretenimento", como se costumava classificar a atividade na época. A propaganda converteu-se em um negócio sério, movimentando bilhões de dólares. As agências de propaganda, antes empresas geridas com total liberdade, consolidaram-se em empresas prestadoras de serviços de marketing em âmbito mundial, controladas por administradores de empresas profissionais no lugar dos profissionais de propaganda.

Os clientes das agências, é claro, também se consolidaram, tornando-se enormes conglomerados industriais e comerciais. Mais que uma dúzia de corporações gastam mais de 1 bilhão de dólares cada em anúncios, e três delas gastam mais de 3 bilhões de dólares cada. Ao mesmo tempo, a mídia também tem tomado parte na moda da consolidação, produzindo combinações internacionais de empresas do setor gráfico, de radiodifusão, de transmissão a cabo, por satélite e pela Internet.

A propaganda tornou-se um grande negócio com grandes participantes. Talvez, por causa disso, não seja mais tão divertida como antes — e talvez nunca mais volte a sê-lo outra vez.

CAPÍTULO 1

E DE REPENTE ERAM QUATRO

Um Antigo Negócio de Empreendedor Consolida-se num Punhado de Grandes Empresas Holdings

Em poucos anos, o negócio de empresas de propaganda nos Estados Unidos transformou-se de dúzias de agências independentes, empreendedoras, criativas e altamente competitivas em um oligopólio de Quatro Grandes corporações. Continuam existindo muitas agências de propaganda pequenas, mas há muito poucas agências de tamanho médio.

O que aconteceu é que as empresas holdings cresceram com a aquisição de agências maiores, não de agências menores, conforme iremos demonstrar nas páginas seguintes. Isso produziu uma enorme lacuna entre as quatro holdings mais importantes e o resto do grupo.

A quarta dessas grandes holdings foi formada em meados de 2002, quando o Publicis Groupe, da França, adquiriu a Bcom3, que controlava a empresa que ficou muito conhecida como Leo Burnett Company. O grupo Publicis, juntamente com as outras holdings — Omnicom Group, Interpublic Group of Companies e WPP Group —, agora respondem por cerca de 55 por cento de todos os gastos mundiais com propaganda e marketing.

Há aí uma grande distância de 1960, por exemplo, quando não existia nenhuma agência de propaganda de capital aberto. A primeira grande agência a converter o seu capital em ações foi a Foote, Cone & Belding, que se tornou uma sociedade anônima em 1964. Apenas dezesseis meses antes, o *chairman* da agência, Fairfax Cone, declarou: "Eu não gostaria de fazer parte de uma agência que devesse satisfações principalmente aos seus acionistas". Uma vez que as agências cresceram, tornou-se inevitável abrir o capital ao público.

Até mesmo anos depois, houve um grande ceticismo — se não o mais completo desapontamento — em relação à iniciativa das agências de abrir o seu capital. Uma que até mesmo antecipou-se à Foote, Cone & Belding foi a Papert, Koenig, Lois. "Analisando agora o que aconteceu", declarou em 1973 o extravagante publicitário George Lois ao jornal *Advertising Age*, "a conversão do nosso capital em ações foi o catalisador que pulverizou a nossa união. As pessoas enriqueceram depressa demais e sentiram-se sufocadas. Elas começaram a pensar: 'Agora devemos satisfações aos acionistas'. Eu sempre disse: 'Não. As minhas obrigações são comigo mesmo e com os meus clientes, para vender os seus produtos'."

Abrir o capital da empresa ao público, embora possa enriquecer os fundadores da empresa, não é garantia de sucesso ou de sobrevivência no mundo corporativo. De maneira geral, as ações das agências não valorizaram muito ao longo dos anos. Uma razão para isso é que a maior parte das empresas de prestação de serviços na área de marketing possuem pouquíssimos ativos. Elas têm os funcionários e os clientes, ambos os quais têm se mostrado altamente instáveis no negócio da propaganda.

A curta permanência da Foote, Cone & Belding como sociedade anônima não é a parte mais positiva dos seus 130 anos de história. A agência transformou-se na FCB Worldwide, que era uma empresa holding, depois transformada na True North Communications, que acabou sendo comprada pelo grupo Interpublic em junho de 2001.

A Foote, Cone & Belding foi uma das mais antigas e respeitadas agências de marca do setor, fundada originalmente como a agência Lord & Thomas. Albert Lasker, conhecido como o pai da propaganda moderna, começou na agência em 1899 como um aprendiz de publicitário. Quatro anos depois, ele compraria a agência e acabaria produzindo anúncios para contas como as de Kimberly-Clark, Pepsodent, Sunkist e Lucky Strike. Lasker desencantou-se com a publicidade no final da década de 1930 e aposentou-se em 1943, vendendo a sua parte na agência por 10 milhões de dólares (uma fortuna na época) a Emerson Foote, Fairfax Cone e Don Belding. Por uma questão de orgulho de proprietário, ele nunca permitiu que o nome "Lord & Thomas" fosse usado após a sua saída. E o nome de Lasker jamais foi exibido na entrada da agência.

Quando comecei a cobrir o negócio da propaganda em 1968, a Foote, Cone era a única agência considerável que abrira o seu capital ao público. Todas as outras agências importantes eram ainda empresas privadas. Alguns publicitários de hoje podem achar difícil acreditar que eu, então um jovem jornalista, tivesse conhecido realmente o legendário Leo Burnett. Também conheci Fairfax Cone, Bill Bernbach, Mary Wells Lawrence, Jay Chiat, Bill Marsteller, David Ogilvy e muitos outros que tinham as próprias agências. Elas eram as "agências de marca" do setor.

Não pretendo insinuar que eles tenham sido meus amigos íntimos, nem mesmo que algum deles fosse capaz de me identificar se fosse preciso. Mas eles existiram. Eles foram pessoas de verdade com quem eu poderia terme encontrado na reunião anual da American Association of Advertising Agencies (4As), durante uma entrevista para a minha coluna, ou comparecendo a recepções para as suas agências ou clientes.

O negócio da propaganda era então mais personalizado. O empresário que chefiava uma agência de publicidade costumava ter laços pessoais, até mesmo de amizade, com o empresário que chefiasse a empresa de um grande cliente.

A maior parte dos contatos atuais entre uma grande agência e um grande cliente é feito entre gerentes do segundo escalão de ambos os lados. Esse não é o mesmo tipo de relação de intimidade que existia décadas atrás. O que mudou esse aspecto do negócio de agência? A consolidação provavelmente é o fator mais importante. As agências e os clientes cresceram tanto que as pessoas que dirigem as empresas estão mais envolvidas com as questões financeiras, de contabilidade e de investimentos bancários que com as questões de marketing.

AS QUATRO GRANDES

Antes da década de 1970, os empresários que fundaram ou assumiram o controle das suas agências depois da Segunda Guerra Mundial estavam dispostos a abandonar o negócio e lucrar com a venda das suas propriedades. Uma geração antes, um empresário teria passado o seu negócio para um filho ou filha. Mas a maneira de ganhar muito dinheiro na década de 1970 e de 1980 era tornar-se uma sociedade anônima ou conseguir ser comprado por outra agência. Essa atitude produziu o cenário para o perfil atual das quatro maiores empresas holdings.

Para demonstrar como o negócio das agências mudou de configuração nos últimos vinte anos, considerei a lista das maiores agências em 1981 do *Advertising Age* — geralmente chamadas "agências de marca" — e atualizei a lista indicando a propriedade atual. Todas eram agências independentes em 1981, embora a McCann-Erickson já tivesse se transformado no Interpublic Group of Companies e fosse a sua maior unidade empresarial. Eis então as posições em 1981, com a atual propriedade de cada empresa entre parênteses:

1. Young & Rubicam (atualmente parte da PLC do WPP Group)
2. J. Walter Thompson (WPP)
3. McCann-Erickson (Interpublic Group of Companies)
4. Ogilvy & Mather (WPP)
5. Ted Bates & Company (fundida no Cordiant Communication Group)

6. BBDO International (Omnicom Group Inc.)
7. Leo Burnett Company (Publicis Groupe)
8. SSC&B (absorvida pela Lowe & Partners, hoje Interpublic)
9. Foote, Cone & Belding (Interpublic)
10. D'Arcy MacManus & Masius (Publicis)
11. Doyle Dane Bernbach (Omnicom)
12. Grey Advertising (ainda independente)
13. Benton & Bowles (fundida em D'Arcy, hoje parte do Publicis)
14. Marschalk Campbell-Ewald (Interpublic)
15. Compton Advertising (absorvida pela Saatchi & Saatchi, hoje parte da Publicis)
16. Dancer Fitzgerald Sample (absorvida pela Saatchi, hoje Publicis)
17. N. W. Ayer ABH International (absorvida pela Bcom3, hoje Publicis)
18. Marsteller Inc. (fundida em Young & Rubicam, hoje WPP)
19. Wells, Rich, Greene (fora do negócio)
20. Needham Harper & Steers (Omnicom)

Das vinte maiores agências de vinte anos atrás, dezessete foram engolidas pelas quatro maiores agências holdings. Uma (Bates) é propriedade do Cordiant Group, que pode ou não tornar-se uma grande empresa holding, e uma (Wells, Rich, Greene) saiu do setor depois de ter participado de uma fusão malsucedida. Portanto, apenas uma (Grey) ainda é uma empresa independente.

No momento em que este livro era escrito, especulava-se sobre a possibilidade de outra grande holding estar sendo formada pela combinação de duas ou mais agências subordinadas às Quatro Grandes. Mas qualquer que seja o namoro deve sempre ser conduzido com um olho nos conflitos entre os clientes concorrentes.

Em termos de dólar, as quatro holdings mundiais exibiam em 2001 faturamentos de 75 bilhões a 53 bilhões cada. Na época, um pouco desse faturamento era desviado para a empresa número cinco, a Dentsu, com 21 bilhões, e para a Havas Advertising, com 26 bilhões. Mas convém dar uma pequena explicação sobre o uso que o *Advertising Age* faz do verbo *faturar*.

Vinte anos atrás, o faturamento representava a quantidade de mídia comprada pela agência para o cliente. Era um número bastante fácil de ser averiguado pelos jornalistas e de ser compreendido pelos leitores. Dava-se pouca atenção a outros serviços de marketing. Desde aquela época, dois fatores mudaram. O primeiro é que a compra real de mídia atualmente é repassada a agências especializadas na aquisição de mídia, que podem ser ou não ser controladas pelas holdings. A segunda mudança é o aumento dos gastos com marketing fora da mídia tradicional, como promoções de vendas, marketing direto e promoções comerciais. No ambiente atual, o faturamento refere-se aos orçamentos de marketing totais dos clientes ou de produtos encomendados às agências de propaganda. Praticamente, todo mundo concorda que essa não é necessariamente uma medida exata, embora produza alguns valores comparativos entre as agências. Na Tabela 1.1, as 25 maiores organizações de propaganda do mundo são classificadas pela renda bruta, e não pelo faturamento.

AINDA HÁ ESPAÇO?

Em palestra proferida no encontro anual da 4As em 2002, John Dooner, então *chairman*-CEO do grupo Interpublic, afirmou que as quatro maiores holdings controlavam 82 por cento do faturamento de propaganda dentro dos Estados Unidos. Embora essa seja uma participação dominante no setor, não significa que as pequenas e médias agências fiquem chupando o dedo. Muitos dos maiores clientes do setor ainda passam vários projetos e produtos a agências menores quando procuram idéias e estratégias inovadoras. Alguns desses contratos vão para estúdios criativos, outros para agências especializadas em promoção de vendas ou de marketing direto não filiadas às Quatro Grandes. E, é claro, há milhares de pequenos e médios clientes nos Estados Unidos que não querem fazer negócio com uma agência de publicidade muito grande. O outro fator que resta ser determinado é se todas as empresas operacionais adquiridas pelas Quatro Grandes em anos recentes permanecerão no grupo. Há uma tendência a desligamentos, compra de controle acionário entre as empresas e outras dissidências pelo caminho.

Conforme demonstra a Tabela 1.1, as agências de propaganda tradicionais e as suas matrizes investiram somas enormes para adquirir operações fora da propaganda. Elas demoraram um pouco para perceber a importância crescente das atividades de marketing fora da propaganda tradicional. E ainda têm de provar que podem integrar os diversos preceitos de marketing para conduzir um programa de marketing coeso e organizado para os clientes.

Isso não significa que não haja necessidade de enormes empresas multinacionais de propaganda. Todos os participantes da cadeia de marketing estão se consolidando. Pode ser preciso uma agência como a Publicis-Burnett-Benton & Bowles para atender a um cliente como a Philip Morris-Miller-General Foods-Kraft-Nabisco. Especialmente se a agência tiver de vender os produtos do cliente por um meio de comunicação da Time Warner Cable-AOL-CNN-*Fortune*-*People*-*Sports Illustrated*-WB-*Money*-CompuServe-MapQuest-Netscape.

TABELA 1.1 AS 25 MAIORES ORGANIZAÇÕES DE PROPAGANDA

Esta tabela classifica as organizações de propaganda por renda bruta mundial, incluindo agências de propaganda, empresas de relações públicas, promoção de vendas, marketing direto e outras de não propaganda. Os índices são para o ano civil de 2001, em milhões de dólares.

Class.	Organização de Propaganda	Renda Bruta	Var. (%)
1	WPP Group	$8.165,0	2,5
2	Interpublic Group of Cos.	7.981,4	–1,9
3	Omnicom Group	7.404,2	6,0
4	Publicis Groupe (inclui o Bcom3 Group)	4.769,9	2,0
5	Dentsu	2.795,5	–8,9
6	Havas	2.733,1	–2,1
7	Grey Global Group	1.863,6	1,7
8	Cordiant Communications Group*	1.174,5	–7,0
9	Hakuhodo	874,3	–13,0
10	Asatsu-DK	394,6	–8,7
11	TMP Worldwide	358,5	–13,8
12	Carlson Marketing Group	356,1	–8,7
13	Incenta Group	248,4	13,6
14	Digitas	235,5	–18,3
15	Tokyu Agency	203,9	–11,3
16	Daiko Advertising	203,0	–10,2
17	Aspen Marketing Group	189,2	–24,0
18	Maxxcom	177,1	–0,1
19	Cheil Communications	142,0	–5,6
20	Doner	114,2	4,0
21	Ha-Lo Industries	105,0	–33,3
22	Yomiko Advertising*	102,2	–7,7
23	SPAR Group	101,8	–8,3
24	Cossette Communication Group	95,2	12,1
25	DVC Worldwide	92,6	4,4

* Estimativa do *Advertising Age*.
Fonte: *Advertising Age*, 22 de abril de 2002, p. 30.

Se o cliente tiver um produto para comercializar mundialmente, terá pouca escolha a não ser negociar com uma agência que ofereça abrangência mundial. A agência deve ser capaz de adaptar a estratégia do cliente a cada mercado, tomando o cuidado de levar em conta os costumes, o idioma e as sensibilidades locais.

Com o número crescente de acordos comerciais internacionais, tem aumentado a necessidade de agências com potencial internacional, se não mundial. Entre as agências de marca, vinte ou mais têm filiais em mais de cinqüenta países, lideradas pela venerável McCann-Erickson, com 103 filiais. Essas filiais podem ser uma empresa com participação majoritária da matriz, um empreendimento conjunto *(joint ventures)* ou uma empresa com a participação minoritária da matriz, mas de qualquer maneira oferecem à agência uma presença no país. Com efeito, as grandes agências estão presentes em todos os mercados onde haja negócios importantes no ramo da propaganda. Além de representar clientes mundiais nesses mercados, elas competem com as agências de propaganda independentes locais pela conquista dos clientes locais.

O Quadro 1.1 dá uma noção das principais subsidiárias de propriedade das quatro holdings.

As agências menores uniram-se em redes. Elas podem ser capazes ocasionalmente de controlar produtos que alcançam dimensão internacional, mas essa não é uma solução para clientes com sérios interesses no mercado mundial.

A consolidação irá continuar no negócio da propaganda? É provável, mas não no nível que observamos nos últimos vinte anos. Há espaço para uma combinação de agências que poderia incluir Havas Advertising, Cordiant, Grey, Dentsu e quem sabe a Hakuhodo. Mas a fusão não é necessária à sobrevivência dessas empresas. Há suficientes clientes locais, regionais e em desenvolvimento que não precisam de cobertura mundial e não querem particularmente trabalhar com as Quatro Grandes.

Pelo menos para um participante, havia poucas dúvidas sobre o futuro imediato do negócio da propaganda. "Não vejo como mais alguém possa chegar à primeira fila", observou Maurice Levy, *chairman*-CEO do grupo Publicis, logo após a aquisição da Bcom3. "Acho que o jogo acabou."

À parte essa bravata, existe outra realidade no setor. Quanto maiores as holdings se tornam, mais espaço elas criam para empreendedores isolados criarem os próprios negócios e atenderem a novos e pequenos clientes. A probabilidade de desdobramentos ou aquisições também aumentará à medida que as holdings se tornarem ainda maiores. Isso porque as holdings são compostas em grande parte de empresas compradas em vez de iniciativas in-

QUADRO 1.1 PERFIL DAS QUATRO GRANDES

As quatro maiores holdings acumularam influência significativa no negócio da propaganda e de marketing, em grande parte pela aquisição de operações empresariais. Aqui estão perfis das holdings com uma amostragem das empresas de que são proprietárias:

THE INTERPUBLIC GROUP OF COMPANIES

Agências de Propaganda
Avrett Free Ginsberg
Austin Kelley
Bozell
Campbell Mithun
Campbell-Ewald
Carmichael Lynch
Dailey & Associates
Deutsch Inc.
Fitzgerald & Co.
Foote, Cone & Belding
Gotham
Hill, Holliday
Howard Merrell & Partners
Lowe & Partners Worldwide
The Martin Agency
McCann-Erickson Worldwide Advertising
MPGH
Mullen
Suissa Miller
Temerlin McClain

Especializadas em Mídia
Initiative Media Worldwide
Universal McCann

Relações Públicas
Golin/Harris International
Weber Shandwick
DeVries Public Relations
The MWW Group

Comunicações Especializadas
Draft Worldwide
NFO WorldGroup
FutureBrand
The Hacker Group

OMNICOM GROUP

Agências de Propaganda
BBDO Worldwide
DDB Worldwide
TBWA Worldwide
Arnell Group
Element 79 Partners
Goodby, Silverstein & Partners
GSD&M
Martin/Williams
Merkley Newman Harty Partners
Zimmerman Partners

Especializadas em Mídia
OMD Worldwide
PHD Network

Relações Públicas
Fleishman-Hillard
Porter Novelli

Comunicações Especializadas
Rapp Collins Worldwide
Alcone Marketing Group
The Integer Group
Tracy Locke Partnership
Doremus & Co.
Bernard Hodes Group

Fonte: Desenvolvido a partir dos sites corporativos na Internet: interpublic.com, omnicomgroup.com, wpp.com, publicis.com.

WPP GROUP

Agências de Propaganda
J. Walter Thompson
Ogilvy & Mather
Y&R Advertising
The Batey Group
Marsteller

Especializadas em Mídia
MindShare
Mediaedge:cia
Kantar Media Research

Relações Públicas
Burson-Marsteller
Hill & Knowlton
Ogilvy Public Relations

Comunicações Especializadas
Sudler & Hennessey
Kang & Lee
A. Eicoff
Uniworld

Marcas, Identidade, etc.
Landor Associates
Wunderman
Enterprise IG
The Partners
Millward Brown

PUBLICIS GROUPE SA

Agências de Propaganda
Publicis Worldwide
Leo Burnett
Saatchi & Saatchi
Fallon
Bartle Bogle Hegarty (donos de 49%)

Especializadas em Mídia
Starcom Media Vest
Zenith Optimedia

Relações Públicas
Manning Selvage & Lee
Publicis Consultants

Comunicações Especializadas
Burrell Communications
Conill Advertising
Pangea
Publicis Sanchez & Levitan
Tapestry
Medicus Group
Nelson Communications
ARC
Frankel
The Triangle Group

Interativas
Chemistri
Publicis Networks
Semaphore Partners

ternas. Não é incomum uma empresa empreendedora comprada atritar-se com a administração corporativa e tentar recuperar a sua independência. Pode haver oligopólios na propaganda, mas ninguém tem o monopólio da criatividade ou de estratégias inovadoras.

CONFLITOS ENTRE CLIENTES AINDA CONTAM

Um dos motivos pelos quais as quatro maiores holdings continuam operando por meio de tantas e tão diferentes entidades e agências é a tentativa de superar o complicado problema de conflitos entre os clientes. A Ford não quer que a sua agência controle a conta da Chevrolet e vice-versa.

A primeira vez que a questão se colocou foi no início dos anos 1960, quando o "menino-prodígio" e CEO da McCann-Erickson, Marion Harper Jr., resolveu constituir uma holding chamada Interpublic Group of Companies. Ao longo dos dois anos seguintes, ele adquiriu mais de três dúzias de outras agências, incluindo a Jack Tinker & Partners, a Erwin Wasy Inc. e a Pritchard Wood, Inc., assim como empresas de relações públicas e de promoção (*Advertising Age*, 18 de março de 2002).

A idéia nunca pegou realmente. Em 1967, depois de uma série de reveses comerciais, a diretoria do grupo Interpublic demitiu Harper, que manteve uma atuação discreta no mundo empresarial até falecer em 1989. Na edição especial de 1999 do *Advertising Age,* intitulada "O Século da Propaganda", Harper foi considerado a segunda pessoa mais influente do setor (atrás apenas de Bill Bernbach). Em função das suas idéias revolucionárias, ele não era apreciado por muitos publicitários conservadores, e só em 1998 é que foi admitido no Hall of Fame da American Advertising Federation.

Apesar dos esforços pioneiros de Harper, nos últimos anos os conflitos entre os clientes continuam sendo um problema para as agências. Em alguns casos, duas agências independentes dentro de uma holding podem controlar contas de empresas concorrentes (mas normalmente não concorrentes no mesmo nível). Nessa época de consolidação de clientes e agências, é mais provável que aconteça o oposto. Eis aí um caso irônico.

Em 2001, a True North Communications Inc. foi comprada pelo grupo Interpublic, cujo maior cliente é a Coca-Cola Company, cuja conta é da McCann-Erickson. A True North é a empresa controladora da Foote, Cone & Belding (FCB), cujos contratos de propaganda na época incluíam 400 milhões de dólares em negócios relativos a Gatorade, Quaker Foods, alguns produtos da Frito-Lay, a água engarrafada Aquafina e os sucos Tropicana e Dole. Havia apenas um impedimento: muitos desses produtos faziam parte da transação quando a PepsiCo adquiriu a Quaker Oats Company.

Embora a FCB não fosse responsável especificamente pela conta da Pepsi-Cola, nenhuma subsidiária de uma holding que também cuidasse da Coca-Cola poderia trabalhar com uma marca da Pepsi. A Pepsi teve de se dividir. Como resultado, uma nova agência chamada Element 79 (o número atômico do ouro) foi constituída como parte da Omnicom, cuja agência BBDO cuida da marca Pepsi-Cola. Cerca de 75 ex-funcionários da FCB transferiram-se para a Element 79 e continuaram trabalhando com os produtos de que cuidavam antes.

Este não é o fim da história. Logo depois de constituir a Element 79, a Omnicom também mudou a conta da Land's End para a nova agência. A tática não funcionou. A Land's End foi comprada pela Sears, ao passo que outra agência da Omnicom, a DDB, é a agência principal da JCPenney. Não demorou muito tempo para que a Sears interrompesse as atividades da Land's End para análise. Os conflitos entre clientes podem gerar contas, mas também as levam embora.

Será que faz sentido o princípio de conflito entre clientes? Eu acredito que sim, quando marcas diferentes competem entre si, como a Coca-Cola e a Pepsi, a Hertz e a Avis. No entanto, será um conflito se um produto como a fralda descartável Procter & Gamble é atendido por uma agência que faz parte da mesma holding que uma agência que cuida de um creme dental da Colgate-Palmolive? Acho que compete aos clientes decidir. Mas com tantos negócios sendo controlados por apenas quatro grandes holdings, os clientes estarão limitando radicalmente a escolha de agências que podem trabalhar para eles.

O que as empresas holdings têm de fazer é erguer barreiras à prova de fogo entre as suas subsidiárias, então enfatizar a diferença entre elas. Isto poderia funcionar no caso de conflitos tangenciais entre clientes, mas duvido que os concorrentes de mesmo nível vão querer ser tratados pela mesma empresa holding. Talvez a questão mais importante nesse conflito surja das entidades isoladas de compra de mídia que as empresas holdings formaram. Os clientes só estão preocupados com a segurança dos seus planos de mídia assim como com a sua estratégia competitiva ou o seu trabalho criativo.

UMA OUTRA OPINIÃO...

Quem Matou os Gigantes?

JOHN EMMERLING

Tenho no meu quarto um espelho grande, todo ornamentado, que a minha esposa comprou do espólio de Mary Lasker, a viúva do lendário homem de propaganda Albert Lasker. Toda vez que olho para aquela superfície larga e imponente penso em Albert — um dos primeiros senhores da guerra da propaganda — endireitando a gravata de manhã antes de sair empertigado para alguma nova conquista. Em 1912, na tenra idade de 32 anos, Lasker tornou-se o único dono da agência de propaganda Lord & Thomas. Um déspota obstinado que comandava com mão de ferro, Lasker dirigiu implacavelmente o seu negócio até tornar a sua agência a maior do mundo. (Como uma questão de política, para manter o clima, a cada quatro anos ele demitia um determinado número de funcionários!)

Numa certa manhã, criei coragem e falei ao meu espelho:

— Você está aí dentro, Albert?

Ouvi o ruído de uma garganta empoeirada de longa data sendo limpa, depois uma voz grossa:

— Pensei que nunca fosse perguntar, filho. Agora, quem é você... e qual é o seu negócio?

Então eu lhe contei.

— Propaganda, hein? Como vão indo os meus colegas Ray e Bruce? E que tal aqueles novatos... Leo e Bill? E aquele inglês, David?

— Hã... Imagino que esteja se referindo a Ray Rubicam, Bruce Barton, Leo Burnett e Bill Bernbach... bem, você devia estar lá para vê-los — eu disse, sem saber se olhava para cima ou para baixo. — E o tal inglês deve ser o David Ogilvy... ele se aposentou e mudou-se para a França há alguns anos.

— Muito bem... — ele rosnou. — Quem está mandando brasa no negócio da propaganda hoje em dia?

Eu comentei sobre as fusões, aquisições, e lhe contei como o pessoal da contabilidade e do departamento financeiro tinha se tornado muito importante.

— Contadores são pessoas que mexem com números — ele declarou aborrecido. — Eu lhe perguntei quem está mandando brasa!

— Esse é um assunto interessante, Al — gaguejei, tentando ganhar tempo enquanto pensava em uma resposta plausível. — Hoje, o significado da expressão "mandar brasa" é um tanto relativo. As grandes agências de propaganda são chefiadas por gerentes muito experientes. Eles são inteligentes, atraentes e geralmente têm dentes bonitos, perfeitos, muito brancos. Você os acharia bastante educados... e eles sabem ganhar dinheiro investindo em ações.

Um gemido desdenhoso projetou-se do meu espelho.

— Me diga uma coisa, filho... esses manda-chuvas de agência atraentes são capazes de pegar os clientes pela mão e guiá-los através da selva do mercado? Eles derrubam e cobrem de chutes os anunciantes concorrentes? Eles se sentam à direita do CEO do cliente?

— Perguntas difíceis de responder, Al — murmurei.

Então divaguei sobre o crescimento do mercado de clientes e os departamentos de pesquisa, sobre a proliferação incrível de opções de mídia e sobre o desenvolvimento do conceito de marcas mundiais.

— Filho, eu estava lhe perguntando sobre a personalidade dos seus líderes. Onde estão os verdadeiros espalha-brasas? Vocês não têm um P. T. Barnums lá na Madison Avenue?

Expliquei que a maioria das agências havia se mudado da Madison Avenue e que já restavam poucas brasas para serem espalhadas.

— E quanto aos clientes... alguns deles são gigantes? — quis saber ele num tom quase saudoso. — Você deve ter alguns clientes grandes, poderosos, que dão manchetes nos jornais e aparecem nas chamadas de capa em todas as edições da revista *Life!*

Comecei a recuar da frente do espelho.

— Bem, imagino que haja uns dois ou três executivos de cliente que poderiam ser chamados de excêntricos.

— Assim como o George Washington Hill, da American Tobacco, certo? — continuou ele, rindo satisfeito ao se lembrar do antigo cliente. — George cuspiria na mesa de reuniões para fazer valer um ponto de vista... quer dizer então que os clientes de hoje em dia ainda são patifes indisciplinados que precisam ser colocados nos currais para ser domados, hein?

— Não exatamente, Al. Não há mais cuspidores hoje em dia. E muito poucos clientes ficam nos currais das agências de publicidade.

Continuei dizendo que esse tipo de "gigantes" tendia a ser encontrado em setores correlatos, como os da mídia, do entretenimento e da tecnologia. Contei-lhe sobre Ted Turner e Rupert Murdoch. ("Meu tipo de sujeitos", murmurou ele aprovador.) Comentei sobre as ações inovadoras de Bill Gates e Steven Spielberg. ("Esses tipos de pensadores inteligentes e criativos dariam realmente bons empreendedores", ele concordou.)

Mas não deu o braço a torcer e voltou outra vez à sua paixão, as agências de propaganda.

— Me diga de uma vez, meu rapaz... você está realmente querendo me dizer que não há nenhum gigante no negócio da propaganda hoje em dia?

Eu revirei desesperadamente o meu arquivo mental, procurando na letra M (de Maiores) e encontrei uma dúzia de destacados executivos de agência... mas quando voltei à letra G (de Gigantes) o arquivo estava vazio.

— Parece, senhor, que estamos definitivamente sem gigantes no momento.

Cheguei enfim à soleira da porta do quarto, mas prometi retornar quando o setor produzisse um verdadeiro e notório chefão.

— Vou ficar esperando — prometeu ele, mal escondendo o desapontamento.

Ultimamente, tenho evitado passar na frente do espelho.

Na verdade, o único inconveniente é trocar de roupa na cozinha.

John Emmerling, um antigo profissional de propaganda, chefia a Emmerling Communications, de Nova York (www.emmerling.com). Este artigo foi originalmente publicado na seção "Ponto de Vista", da edição de 17 de setembro de 1997 do Advertising Age.

CAPÍTULO 2

O QUE FAZER QUANDO A ÁRVORE DO DINHEIRO SECA?

A Comissão de 15 por Cento Acabou e, com Ela, a Principal Fonte de Renda das Agências

Ser pago pelos 15 por cento recolhidos do que os seus clientes gastam com a mídia é um péssimo método de remuneração. Ainda assim, era como as agências de propaganda ganhavam dinheiro durante a maior parte do século XX.[4]

Essa prática começou cedo na história da propaganda, porque as agências eram originariamente agentes da mídia, não dos anunciantes. As agências compravam espaço a grosso e a preços com descontos de revistas e jornais, então agregavam uma margem de lucro ao valor do espaço e o revendiam aos clientes. Na linguagem atual, elas seriam conhecidas como representantes de propaganda, que ainda praticam o seu comércio no mundo inteiro junto à mídia impressa.

Naquela época, a propaganda era apenas uma pequena parte das receitas geradas pela mídia impressa. A maior parte da receita vinha das assinaturas e das vendas de cada exemplar. Ao longo do caminho, quando viu que a propaganda poderia gerar receitas significativas, a mídia impressa institucionalizou o sistema de comissão, vendendo para agências de propaganda reconhecidas por 15 por cento menos do que cobraria diretamente dos anunciantes.

Embora comprassem o espaço nas publicações, os clientes sabiam muito pouco sobre o que dizer nos anúncios. Foi aí que entraram em cena as agências. Se conseguissem criar anúncios que aumentassem as vendas dos produtos dos clientes, elas poderiam vender mais espaço e ganhar mais di-

4. No Brasil, a situação era semelhante: essa remuneração era de 17,5% (em vigor desde o surgimento da primeira agência, em 1913) e passou a 20%, quando o setor foi regulamentado, em 1965, pela Lei 4.680. Essa lei foi abolida em 1977, e até hoje o que vigora são os patamares mínimos de negociação instituídos por um acordo entre a Associação Brasileira das Agências de Propaganda (Abap) e a Associação Brasileira dos Anunciantes (ABA). (N. do T.)

nheiro. Assim elas começaram produzindo textos e ilustrações para os anúncios. Afinal de contas, o seu pessoal era constituído de profissionais de vendas e eles sabiam como vender, além de estar familiarizados com os leitores do meio de comunicação.

Além disso, as agências não precisavam cobrar especificamente pelos seus serviços de criação porque já estavam ganhando muito dinheiro revendendo o espaço. Com o passar do tempo, as agências acabaram abrindo mão das relações públicas, da promoção de vendas, da pesquisa, do planejamento estratégico e praticamente de todo e qualquer serviço em que pudessem pensar.

Elas podiam muito bem fazer isso. Ainda estavam recebendo comissões com base na quantia gasta em mídia. Quando a mídia cresceu e se proliferou ao longo do século XX, as agências ainda ganhavam dinheiro com a compra de mídia. Isso ficou cada vez mais lucrativo com o crescimento dos meios de comunicação de massa, especialmente o rádio nas décadas de 1930 e 1940 e da televisão da década de 1950 em diante. O público tornou-se maior, as taxas aumentaram e as agências embolsavam 15 por cento de orçamentos publicitários muito maiores.

"Somos obrigados a admitir", disse Keith Reinhard, *chairman* e CEO do DDB Worldwide Communications Group Inc. "Cometemos um erro cem anos atrás. Nunca deveríamos ser pagos com base na quantidade de mídia que comprávamos. E quando perguntávamos ao cliente se ele precisava de uma pequena ajuda para redigir um anúncio, e o fazíamos a troco de nada, estávamos errados."

Até a última década do século passado, as agências continuavam vivendo principalmente daquela comissão, embora os clientes já negociassem taxas de comissão mais baixas. As agências também faziam menos dinheiro com a margem que acrescentavam ao trabalho de produção que contratavam para os clientes. Isso era suficientemente modesto quando as agências operavam em um ambiente de mídia impressa. Mas tornou-se uma fonte significativa de remuneração (e freqüentemente de contenção) na época da teletransmissão, quando o custo de produzir um único comercial de televisão poderia facilmente chegar a 1 milhão de dólares.

COMO FUNCIONAVA O SISTEMA DE COMISSÃO

Considere uma situação típica da década de 1980 em que uma agência era contratada para uma conta de xampu com um faturamento de 50 milhões de dólares. O diretor de mídia poderia dar três telefonemas ao pessoal de vendas de uma rede de televisão e pedir propostas de orçamento para atingir várias faixas de audiência. O diretor de criação da agência contrataria um diretor para produzir uma série de comerciais de televisão com um orçamento de, digamos, 4 milhões de dólares. Dentro de algumas semanas, a agência poderia sair ganhando uma comissão potencial de 7,5 milhões da mídia adquirida mais alguns pela margem embutida na produção.

Com a alta do custo da mídia na década de 1990 — quando uma simples chamada no Super Bowl ultrapassaria 1 milhão ou mais — tornou-se evidente que os clientes iriam procurar meios de cortar gastos. As agências já estavam negociando comissões mais baixas em compras na grande mídia, mas essas comissões não eram tão baixas quanto as dos serviços de compra de mídia que já eram praticados na Europa. Por muitos anos houve empresas especializadas na compra de mídia nos Estados Unidos, mas a maioria delas era de empresas pequenas, e muitas delas especializadas na compra de mídia específica ou compra combinada de mídia com transações de permuta.

As empresas de compra de mídia americanas geralmente não cobravam comissão nenhuma. Elas subsistiam com a margem de lucro que obtinham entre o que pagavam para a mídia e o que podiam cobrar do cliente. As empresas européias especializadas em mídia, por sua vez, compravam tempo e espaço de 2 por cento até 4 por cento. Em outras palavras, um cliente com um negócio com a agência a 15 por cento poderia cortar até 13 milhões de uma compra de mídia de 100 milhões.

Com isso sobraria bastante dinheiro para o cliente contratar com a agência, num sistema *à la carte,* toda a sorte de trabalho criativo, pesquisa e outros serviços. As agências de propaganda prestadoras de serviços reagiram começando a negociar as taxas de comissão com os clientes. Elas também começaram explorando formas alternativas de compensação, incluindo taxas por hora, adiantamentos por serviços e honorários por projeto.

REMUNERANDO O DESEMPENHO

Foi só nos anos mais recentes que as agências e os clientes começaram a experimentar uma remuneração de incentivo com base no sucesso das campanhas publicitárias. Isso em última análise fazia muito sentido.

A remuneração da agência com base na quantidade da mídia comprada pelo cliente sempre foi uma idéia imperfeita. É análogo a um gerente de vendas pagar ao seu pessoal de vendas uma comissão baseada em quantos almoços eles pagaram aos clientes. No mundo real dos negócios, o pessoal de vendas é pago em função de quanto vende. Pelo menos uma parte da remuneração das agências deveria basear-se no sucesso da campanha que elas criaram para o cliente.

É claro que a propaganda não está necessariamente no mundo real. Os clientes contratam as agências com muitas finalidades além de vender produtos e serviços. Eles também podem estar tentando fazer a reposição de um produto, introduzir um produto novo, ressuscitar uma velha marca, desenvolver uma imagem pública melhor, reagir a uma crise, solidificar a participação no mercado, ou atingir um número qualquer de outros objetivos.

Embora não seja tão simples e fácil quanto pagar a um vendedor uma certa comissão sobre as vendas, ainda é possível os clientes e as agências estabelecerem critérios de remuneração pelos resultados diferentes de ganhos sobre as vendas. Um cliente e uma agência podem identificar as metas específicas a serem atingidas por uma campanha publicitária. Pelo uso de várias formas de pesquisa, eles podem determinar se essas metas foram alcançadas.

O que é interessante é que, nos últimos anos do século XX, muitos clientes estavam tão relutantes quanto as agências, ou até mesmo mais relutantes, para experimentar a remuneração com base no desempenho. Por quê? Provavelmente porque nunca tinham feito isso antes e não viam nenhum motivo para fazê-lo àquela altura.

Mas qualquer um que olhe para esse conceito de comissão com a lógica fria dos negócios percebe que qualquer outra coisa faz sentido. Durante quase um século, como pagassem às agências uma comissão de 15 por cento, os clientes que obtinham um trabalho de criação formidável pagavam a mesma taxa que os clientes que obtinham um trabalho pouco inspirado. E as agências que criavam uma propaganda eficaz — o tipo que impulsionava as vendas de maneira impressionante ou introduzia um produto novo com sucesso — eram pagas na mesma proporção que aquelas cujos anúncios falhavam. Obviamente, havia algo errado nesse modelo empresarial.

ENTRA EM CENA A ESPECIALISTA EM MÍDIA

O sistema tradicional de remuneração da agência começou a ser erodido em meados da década de 1960 quando um francês chamado Gilbert Gross instituiu a idéia de compra a grosso e fundou a empresa que hoje é conhecida como Carat Worldwide, uma parte do Aegis Group. A Carat fazia adiantamentos por compras de mídia com descontos enormes sobre a tabela de preços, então revendia aos clientes. Isso, antes de mais nada, é muito parecido com o modo como as agências de propaganda começaram. O conceito de aquisição de mídia da Carat teve êxito em toda a Europa porque oferecia uma grande economia de escala aos clientes.

O volume de negócios feitos por empresas especialistas em mídia na Europa cresceu sem parar, e a principal interrupção nesse crescimento foi a promulgação da Lei Sapin, na França, em 1993. Essa lei visava eliminar comissões e propinas ocultas que tinham se tornado parte do negócio de compra de mídia. Até essa época, porém, a maior parte da compra de mídia na Europa Ocidental era realizada por especialistas de mídia, o que corroía o volume de rendimentos das agências de propaganda prestadoras de serviços tradicionais.

Em 1980, as especialistas em mídia eram responsáveis pela compra de cerca de 10 por cento da mídia na Europa. Em 1994, a participação delas no mercado tinha subido para 62 por cento, com praticamente todos os ganhos provenientes das agências de propaganda prestadoras de serviços. A porcentagem de mídia comprada diretamente pelos clientes permaneceu em 6 por cento durante aquele período (*Inside Media*, 26 de abril de 1995).

Em 2001, a Europa tinha alcançado um divisor de águas. A Federação Mundial dos Anunciantes fez uma pesquisa entre 450 anunciantes em cinco países — Alemanha, França, Reino Unido, Finlândia e Holanda. Nenhum dos entrevistados informou estar pagando às agências de propaganda a comissão tradicional de 15 por cento (boletim à imprensa da Federação Mundial, 24 de setembro de 2001).

A dúvida em meados da década de 1990 era se o conceito de compra de mídia europeu conseguiria vingar nos Estados Unidos, que respondiam pela metade dos gastos em propaganda no mundo e onde as relações entre agência e cliente tinham se desenvolvido e aprofundado por décadas. A resposta veio rápido, embora a versão americana para as especialistas em compra de mídia fosse diferente da européia. Em vez de usar especialistas em compra de mídia independentes e descompromissadas, as agências de propaganda tradicionais desmembraram as funções de compra de mídia e as converteram em entidades separadas. A N. W. Ayer & Sons, talvez a agência de propaganda mais antiga do mundo, foi a primeira a tomar a iniciativa, em 1994, quando desligou o seu departamento de mídia em uma operação independente chamada Media Edge. Esta acabou sendo vendida para a Young & Rubicam. Nos vários anos seguintes, o WPP Group combinou os departamentos de mídia da J. Walter Thompson e Ogilvy & Mather e criou a MindShare; a Omnicom criou a OMD Media para controlar as compras para a DDB, a BBDO e a TBWA; a Ammirati Puris Lintas Worldwide lançou a Initiative Media; e a McCann-Erickson criou a Universal McCann.

Em 2001, nove especialistas em compra de espaço na mídia compravam mais de 10 bilhões de dólares cada em meios de comunicação mundiais (veja a Tabela 2.1). As compras de mídia por especialistas nos Estados Unidos chegaram a quase 80 bilhões de dólares entre 2001, acima dos 35 bilhões de 1998, apesar da recessão na propaganda em 2001 (*Advertising Age*, 22 de abril de 2002). O impacto mais profundo da consolidação foi sentido

TABELA 2.1 FATURAMENTO MUNDIAL DAS DEZ MAIORES ESPECIALISTAS EM COMPRA DE ESPAÇO NA MÍDIA EM 2001

As Maiores Empresas Especializadas em Mídia por Faturamento Mundial	Sede	Faturamento em 2001 (em milhões de dólares)
Initiative Media Worldwide (Interpublic)	Nova York	$20.987,0
MindShare Worldwide (WPP)	Nova York	20.300,0
Starcom MediaVest Group (Publicis)	Chicago	18.599,4
OMD Worldwide (Omnicom)	Nova York	18.224,1
Zenith Optimedia Group (Publicis)	Londres	18.076,0
Universal McCann (Interpublic)	Nova York	17.868,0
Mediaedge:CIA (WPP)	Londres	15.910,0
Carat (Aegis)	Nova York	14.677,0
MediaCom (Grey)	Nova York	11.600,0
Media Planning Group (Havas)	Nova York	8.750,0

Fonte: *Advertising Age*, 22 de abril de 2002, p. S-14.

pela televisão, onde nove grandes compradores de mídia controlavam mais de 70 por cento de todas as vendas de anúncios das redes de televisão (*Jack Myers Report*, 18 de março de 2002).

Seria errado, porém, concluir que a única função preenchida pelas especialistas em mídia era a de negociar melhores transações com a televisão. Como o número de alternativas de mídia explodiu, depois começou a crescer internamente, ficou evidente que a compra de mídia tinha se tornado muito mais complexa que nos anos anteriores.

Também se acreditou que maiores entidades de compra de mídia seriam mais eficazes em negociar com as empresas de mídia que já tinham começado a se consolidar. À medida que a mídia se desvinculava das agências de propaganda, os profissionais da mídia passaram a se tornar muito mais criativos com a mídia. Eles desenvolveram estratégias que não começavam automaticamente com um grande investimento em televisão — um preconceito compartilhado por muitas grandes agências de propaganda nas décadas de 1970 e 1980 — acompanhado por compras menores de outros tipos de mídia para apoiar campanhas na televisão.

MARKETING INTEGRADO

As especialistas em compra de mídia logo passaram a raciocinar de maneira mais estratégica e criativa. Por exemplo, a Carat Worldwide, a maior empresa de mídia não filiada a um grupo de propaganda, atualmente desenvolve campanhas que podem incluir mala direta, Internet, cartazes ao ar livre (*outdoors* e outros), promoção de vendas e outras ações de marketing que costumavam ser consideradas "abaixo-da-linha", as quais as agências de propaganda passaram a evitar por questão de amor-próprio.

À medida que o número de meios de comunicação foi proliferando nos últimos anos, os profissionais de marketing tiveram a oportunidade de se concentrar em segmentos menores do mercado. Isso exigiu mais pesquisas e criatividade por parte dos compradores de mídia para poderem alcançar os públicos exatos a que os seus clientes necessitavam vender os seus produtos.

David Verklin, CEO da Carat North America, sustenta que houve uma mudança não tão sutil no modo como as campanhas são montadas. Tradicionalmente, uma agência desenvolveria uma estratégia criativa, então mandaria o seu departamento de mídia à compra da mídia certa para aquela campanha. "Hoje, a estratégia de mídia geralmente vem em primeiro lugar, identificando o mercado", diz ele. "Depois é desenvolvido o trabalho criativo direcionado para atrair aquele mercado específico." Embora os publicitários tradicionalistas possam ironizar, uma geração mais jovem de especialistas em marketing acredita que esta é uma maneira muito mais adequada de tratar um problema de marketing.

Também corresponde à noção crescentemente popular de comunicações de marketing integrado de que toda campanha deveria começar com o consumidor potencial de um produto, em vez de com o fabricante desse produto. O profissional de marketing só pode atingir o consumidor pela mídia consumida por esse consumidor e apenas com uma mensagem que estimulará esse consumidor a reagir. Isso é muito diferente de queimar o seu orçamento publicitário em uma chamada de trinta segundos no Super Bowl, como descobriram em 2000 e 2001 diversas empresas relacionadas à Internet — quatro das quais nem sequer existem mais.

BUSCA DE RECEITAS

Foram precisos apenas alguns anos para que as maiores redes de agências de propaganda isolassem a compra de mídia e a removessem da sua posição tradicional como a máquina de fazer dinheiro das agências de propaganda tradicionais. Isso criou um novo desafio para as agências: sem comissões sobre a mídia, como geramos receita?

A resposta para isso veio de muitas maneiras. Hoje as agências se vêem diante da perspectiva de cobrar dos clientes por serviços que antigamente não cobravam. Isso está acontecendo, embora não haja nenhum modelo de remuneração que seja tão padronizado quanto a comissão sobre a mídia durante a maior parte do século XX.

A imensa maioria de contratos entre cliente e agência baseia-se em uma estrutura de honorários, embora algumas ainda cobrem comissões negociadas com base nos gastos com a mídia. Algumas agências desenvolveram tabelas de preços de hora em hora, semelhantes àquelas que advogados de contadores aplicam há anos. Outras trabalham com base no projeto, às vezes com um incentivo de desempenho embutido na fórmula. Algumas cobram um adiantamento de honorários pelos serviços, mais taxas de serviços com base em critérios diferentes. Uma pesquisa conduzida pela Association of National Advertisers indica que mais de um terço dos acordos de pagamento inclui algum tipo de índice de remuneração com base no desempenho (*Advertising Age*, 4 de junho de 2001).

Há ainda, é claro, a margem sobre os custos gráficos e a teletransmissão. Mas nenhum desses honorários jamais irá gerar a riqueza que o sistema de comissão de 15 por cento produziu nos bons tempos da propaganda.

UMA OUTRA OPINIÃO...

Os Clientes Determinam Cortes Desagradáveis: As Agências Têm uma Mentalidade de "Funcionário de Aluguel"

PAUL S. GUMBINNER

Cerca de dez anos atrás, Marvin Sloves, então o *chairman* da agência Scali, McCabe, Sloves, falou-me sobre um corte de funcionários que a agência dele estava fazendo. Conversávamos sobre quem as demissões poderiam ou não atingir quando um nome específico surgiu.

"Por quê? Eu não o deixaria ir mesmo que ele fosse a última pessoa aqui. Ele trabalha aqui há bem mais de vinte anos e merece a nossa lealdade", Marvin disse. Era uma declaração inacreditavelmente humanitária e muito eloqüente sobre a agência e os seus princípios (e diretores!). Não vemos muito disso nos dias atuais.

A rodada corrente de demissões provocou um corte profundo, sem levar em conta o passado ou, em alguns casos, o desempenho atual. Em muitos casos, os funcionários tornaram-se um recurso fungível, nenhum funcionário valendo mais que o outro. Durante esse período de tensão, incerteza econômica e orçamentos reduzidos, as empresas assumiram uma atitude de "funcionário de aluguel".

O valor individual, que era estabelecido gradualmente por meio da lealdade, do desempenho e do talento, passou a contar muito pouco. Parece que a última linha dos demonstrativos de resultados, a do lucro, sobrepôs-se a essas outras considerações.

Há muito tempo, se um cliente vetasse um orçamento, os bons funcionários ligados àquele trabalho não se preocupariam com o emprego. Eles sabiam que seriam reaproveitados e transferidos para outra tarefa na próxima oportunidade, um funcionário com um desempenho menor sendo recolocado em outra atividade. Isso não costuma acontecer mais.

O lado ruim do sistema de remuneração da agência a uma taxa fixa de honorários é que, em grande parte, agora os clientes é que conduzem as agências de propaganda. Muitas vezes, o pagamento é feito para uma equipe de trabalho específica. Isso, com efeito, permite que os clientes determinem quem vai ou não trabalhar no projeto. Na verdade, cada vez mais os clientes são até mesmo entrevistados, ou no mínimo são consultados, sobre as contratações da agência para as suas contas. E embora a direção da agência normalmente classifique essas entrevistas como uma "cortesia", elas são equivalentes a dar ao cliente a aprovação tácita das perspectivas de contratação.

Essa situação também funciona ao contrário, quando são vetados os orçamentos. Quando uma conta veta o seu orçamento e são feitos cortes de pessoal, geralmente é difícil mover as pessoas de uma conta para outra. Se o corte em um orçamento produz a necessidade de eliminar um gerente, no passado isso permitiria à agência avaliar todos os funcionários do nível em que os cortes de pessoal estavam sendo feitos e, subseqüentemente, eliminar o elo mais fraco de outra parte do negócio.

No sistema atual de pagamento fixo, quando o cliente está contente com o desempenho de alguém na sua conta, é mais eficiente para a direção da agência deixar a pessoa com um desempenho inferior no lugar em que se encontra do que explicar ao cliente por que quer remover essa pessoa com quem o cliente se sente à vontade. (Será que o cliente realmente quer saber se o funcionário que considera bom é na verdade um profissional medíocre?)

Embora não haja dúvida de que os orçamentos publicitários estão baixos, necessitando de corte de pessoal, as pressões pelo lucro têm exacerbado a situação. As empresas de capital aberto, para satisfazer às expectativas dos acionistas, requerem um nível de pré-taxas de desempenho que simplesmente não pode ser atendido. O resultado é uma atitude do tipo "cortar e queimar" por parte das agências em relação aos funcionários, independentemente de serem bons ou ruins, com desempenho excepcional ou medíocre.

É fácil para a direção simplesmente promover cortes de pessoal por conta em vez de reavaliar a agência como um todo. Conseqüentemente, muita gente boa vai para a rua apenas porque o cliente cortou o orçamento da sua conta. Costumo receber todos os dias telefonemas de muito bons profissionais que esperam ser demitidos simplesmente porque a sua conta teve o orçamento cortado.

Esta deveria ser uma atividade profissional em que o talento e a capacidade estivessem muito acima da necessidade econômica temporária ou da conveniência administrativa. Um número grande demais de executivos talentosos tem ido para a rua pelos motivos errados.

Paul S. Gumbinner é o presidente da Gumbinner Company, de Nova York, empresa de contratação de executivos que atende ao setor da propaganda. Este texto foi publicado originalmente como um artigo da seção "Forum", na edição de 3 de dezembro de 2001, do Advertising Age.

CAPÍTULO 3

A PROPAGANDA MUDA DE TOM

O Setor Presta Mais Atenção à Forma e ao Funcionamento do Marketing

Houve uma época, não muito tempo atrás, em que os profissionais de propaganda se consideravam num plano muito acima ao das outras atividades de marketing. Eles eram arrogantes porque comandavam a parte do leão dos dólares do marketing. Eles também atuavam em um campo que era mais glamouroso que as funções do tipo promoção de vendas, marketing direto ou pesquisa. "O pessoal de propaganda achava a promoção de vendas brega", confidenciou-me um profissional. "Não era algo tão *sexy* quanto a propaganda."

Desnecessário dizer, a propaganda mudou de tom. Isso se aplica tanto às quatro maiores holdings como às agências menores que compreendem que a propaganda apenas não é o bastante para captar e manter os clientes. Entretanto, existe uma diferença na maneira como se misturam — ou não se misturam — as diversas funções de marketing em uma campanha de marketing como um todo.

Wally O'Brien, ex-diretor-geral da International Advertising Association, passou a maior parte da carreira na J. Walter Thompson, começando em 1962 e acabando por conseguir se tornar o vice-*chairman* da empresa. "Naquela época, a J. Walter era uma agência bem integrada. Tínhamos um departamento de *merchandising*, um departamento de promoção e um departamento de relações públicas, que atendiam a muitos clientes. Tínhamos trinta pessoas em relações públicas", ele explica.

Esses departamentos todos respondiam a um diretor de conta, que atendia os clientes e coordenava o trabalho na tarefa. O único aspecto incomum em relação a isso, considerando a situação atual, é que os clientes não pagavam por esses serviços. A agência não cobrava por esses serviços porque ganhava o suficiente com os 15 por cento de comissão sobre a mídia que cobria tudo.

Isso é o que tradicionalmente chamamos de uma agência prestadora de serviços. Uma agência completa, onde o cliente podia ter o seu produto promovido e trabalhado do ponto de vista do marketing. A única condição era que uma quantidade significativa de dinheiro tinha de ser investida em gastos com a mídia, especialmente na televisão, para financiar a campanha. Durante anos, as agências de propaganda promoveram esse conceito de agência prestadora de serviços enquanto competiam por dólares de marketing com outros prestadores de serviços de marketing, estúdios de criação até empresas de marketing direto.

À medida que aumentou a pressão dos clientes para negociar as comissões de mídia na década de 1980, a renda derivada da compra de mídia começou a ser corroída. Como resultado, as agências começaram a eliminar esses serviços ou começaram a cobrar dos clientes um pagamento extra por eles. Isso incitou os clientes a buscar outras opções e comparar os serviços da agência nessas áreas com o de prestadores independentes de serviços específicos como promoção de vendas e relações públicas.

Havia muitas empresas independentes que atuavam em marketing direto, por exemplo. Elas não eram filiadas às agências de propaganda prestadoras de serviços e tinham muito mais experiência que a maior parte das agências poderia reunir. Elas também não requeriam que em todo começo de campanha se despejasse uma enorme quantidade de dólares em televisão.

O marketing direto revelou-se uma importante ferramenta de marketing, responsável pela venda de bilhões de dólares de produtos e serviços todos os anos. Ele também passou pelo teste do tempo e da tecnologia. Anos atrás, costumava ser chamado de mala direta. Os profissionais de marketing direto administravam e manipulavam enormes listas de clientes, com as quais enviavam requerimentos pelo correio.

Hoje essa é apenas uma parte do negócio. Aqueles anúncios de cupom onipresentes em jornais e revistas fazem parte de programas de marketing direto. O *telemarketing* é outra ferramenta dessa área, embora também possa ser a modalidade de marketing considerada mais indesejada pelo consumidor americano.

Embora o horário nobre da televisão fosse caro demais para a maioria dos profissionais de marketing direto, muitos descobriram que os espaços disponíveis tarde da noite e de manhã bem cedo muitas vezes permaneciam disponíveis. Um profissional de marketing direto esperto poderia adquirir espaço a um preço maravilhoso para um comercial de trinta ou sessenta segundos. Melhor que isso, algumas estações concordavam em ser pagas com base nas respostas às pesquisas, descontando uma quantidade de dinheiro a cada ligação feita a um número de telefone especial.

Um dos pioneiros nessa área foi o falecido Al Eicoff, fundador e *chairman* da A. Eicoff & Company. Em meados da década de 1970, Eicoff contou-me que tinha um motivo específico para fazer comerciais de resposta direta no horário noturno da televisão. "As pessoas estão menos resistentes nesse horário", ele argumentou. "Estão mais propensas a responder."

Ele também gostava de fazer comerciais de dois minutos em vez do típico comercial de trinta segundos porque achava que a mensagem mais longa era uma isca mais atraente. Eu não sei se as teorias dele estavam corretas, mas Eicoff fundou uma empresa importante que continua funcionando mesmo depois da morte dele. Atualmente, porém, ela faz parte do WPP Group, outra indicação de como o setor se consolidou.

Outra forma de marketing direto que varreu o mundo em recentes anos foi o *infomercial*. Muitas vezes, a um custo menor que o de produzir um comercial de trinta segundos, uma empresa de produção pode fazer um infomercial de trinta minutos e comprar um bloco de tempo em um canal de televisão por uma pechincha. Os produtos oferecidos nesses programas vão de séries de fitas de auto-ajuda a sofisticadas artimanhas de golfe, compilações de antigas canções de *rock-and-roll* e praticamente todo tipo de máquinas de exercícios de reputação questionável que prometem enrijecer as suas nádegas ou os seus músculos abdominais. Muitas vezes recorrem a celebridades, que aparecem ao lado de apresentadores muito dinâmicos colocando esses produtos em cenários que podem incluir entrevistas com pessoas que usaram os produtos (ou pelo menos afirmam ter usado os produtos) e demonstrações encenadas dos produtos, muitas vezes repetidas *ad nauseam*.

Embora haja uma dúvida considerável quanto aos índices de sucesso dos infomerciais, eles continuam a aparecer cada vez mais. Grande parte disso se deve ao crescimento dos canais a cabo, em que os programas de final de noite e das manhãs de sábado têm pequena audiência e atrairiam rendas de propaganda até menores. Isso significa que o canal prefere vender os trinta minutos inteiros a uma taxa especial para um anunciante do que produzir ou comprar um programa e tentar achar patrocinadores.

Em uma determinada manhã de sábado, mais de uma dúzia de canais a cabo e via satélite podem estar apresentando infomerciais ao mesmo tempo. Isso acontece na maior parte do mundo. Tenho visto com freqüência infomerciais produzidos nos Estados Unidos dublados em outros idiomas e transmitidos para inúmeras regiões da Europa à Ásia e América Latina.

O NOVO SIGNIFICADO DA PROPAGANDA

O termo *propaganda* é usado livremente nos dias atuais, e é provável que essa seja a melhor maneira de entender essa atividade. Seria um equívoco de nomenclatura classificar as quatro maiores holdings simplesmente como agências de propaganda. Com a estrutura que têm atualmente, elas fazem muito mais do que a propaganda tradicional. Até mesmo as suas subsidiárias de propaganda fazem mais do que puramente propaganda.

Na conferência de cúpula da 4As em 2002, John Dooner, então o *chairman* do grupo Interpublic, declarou que cerca 50 por cento das receitas das quatro maiores holdings vêm de atividades de fora da propaganda tradicional. Cinco anos atrás, acrescentou ele, 90 por cento das receitas vinham integralmente da propaganda. Essa é uma tremenda mudança na maneira como essas empresas obtêm as suas receitas.

Tem havido uma tendência de crescimento a longo prazo nas atividades de promoção, a uma taxa mais rápida que na propaganda tradicional. Os números verdadeiros foram difíceis de isolar, porém, porque a promoção inclui muitas funções diferentes. E ao contrário da propaganda, que é executada principalmente por agências externas, os gastos com promoção geralmente são feitos internamente. Em muitos casos, os orçamentos não são administrados pelo departamento de marketing, mas pelo departamento de vendas da empresa do cliente.

São também difíceis de averiguar as estimativas de gastos em promoções, por causa de diferenças de metodologia de medida de um estudo para outro. Foram feitas tantas promoções internamente que o pessoal do setor de promoções acredita que a quantidade de gastos com promoção sempre foi registrada a menos. Não obstante, a terceirização dos serviços de marketing a empresas de promoções aumentou mais rapidamente que os gastos com propaganda, e as maiores holdings contrataram significativas operações nesse campo.

A Tabela 3.1 mostra as maiores agências de promoções por vendas nos Estados Unidos. Observe que elas não foram poupadas pela recessão de 2001 e 2002.

Até recentemente, as maiores agências desdenhavam a maioria das modalidades alternativas de marketing fora da propaganda. Elas entendiam que o cliente poderia criar e desenvolver uma marca apenas anunciando na mídia submetida a verificação. O argumento foi obviamente contestado muitas vezes nos últimos anos.

Uma grande quantidade de marcas importantes foi desenvolvida com pouca ou nenhuma propaganda. Talvez a Starbucks seja o exemplo ideal. Ela não só estabeleceu um nome de marca sólido, mas desenvolveu uma forte personalidade de marca e um séquito leal de consumidores que estão dispostos a pagar mais por uma xícara de café Starbucks porque acham que vale a pena o dinheiro gasto a mais. A empresa também conseguiu difundir a sua marca para bem longe dos Estados Unidos — para a Europa, por exem-

TABELA 3.1 AS 10 MAIORES AGÊNCIAS DE PROMOÇÃO DE VENDAS, CLASSIFICADAS POR RENDA NOS EUA DE ACORDO COM AS PROMOÇÕES DE VENDAS

CLASSIFICAÇÃO				RENDA DE PROMOÇÃO DE VENDAS NOS EUA (EM MILHÕES DE DÓLARES)		
2001	**2000**	**Agência (Matriz [Rede])**	**Sede**	**2001**	**2000**	**Percentual de mudança**
1	**1**	Carlson Marketing Group	Minneapolis	$193,5	$228,1	–15,2
2	**3**	Euro RSCG Impact (Havas [Euro RSCG])	Chicago	142,1	168,4	–15,6
3	**7**	GMR Marketing (Omnicom)	New Berlin, Wis.	132,6	111,8	18,6
4	**10**	Momentum Worldwide (Interpublic [McCann])	Nova York	122,0	97,0	25,8
5	**4**	Jack Morton Worldwide (Interpublic)	Nova York	107,4	139,2	–22,8
6	**8**	SPAR Group	Tarrytown, N.Y.	97,7	104,7	–6,7
7	**12**	Integer Group (Omnicom)	Golden, Colo.	93,9	88,5	6,2
8	**9**	Frankel (Publicis Groupe [Publicis])	Chicago	89,8	99,6	–9,9
9	**6**	Alcone Marketing Group (Omnicom)	Irvine, Calif.	81,0	117,8	–31,3
10	**11**	Aspen Marketing Group	Los Angeles	79,4	92,6	–14,3

Nota: A classificação de 2000 baseia-se em dados fornecidos ao jornal *Advertising Age* em 2002.
Fonte: *Advertising Age*, 22 de abril de 2002, p. S-14.

plo, e até mesmo para a Ásia, onde o café não é uma bebida tradicional. Mais recentemente, a Starbucks colocou a sua marca em bens empacotados e vendidos em supermercados. E tudo isso foi feito sem um investimento significativo em propaganda.

A Starbucks pode servir como a fantasia de todo construtor de marca. Mas outros varejistas conseguiram impor as suas marcas sem propaganda na mídia. A Victoria's Secret passou na televisão os seus comerciais provocativamente sensuais ao longo dos últimos dois anos, mas impôs a sua marca em grande parte pelo seu eficaz catálogo de mala direta. A Body Shop, a J. Crew e a L. L. Bean também estabeleceram uma forte identidade de marca sem a propaganda na mídia.

A Internet também teve êxito em desenvolver as suas próprias marcas sem usar a propaganda. Yahoo!, Napster, Google, eBay e Monster.com são todos bons exemplos. Muito do sucesso dessas marcas decorreu da mais antiga forma de propaganda, o boca-a-boca. A diferença no mundo da mídia atual é que a Internet espalha o boca-a-boca na maior amplitude possível. O boca-a-boca na Internet deve ser um fator decisivo a ser estudado e usado pelos criadores de marcas do futuro.

Seria possível os profissionais de marketing dos artigos mais tradicionais como produtos de supermercado impor as suas marcas sem propaganda? Por que não? A limonada Arizona fez sucesso antes de a empresa contratar a sua primeira agência de propaganda. O mesmo aconteceu com o sorvete Ben & Jerry. Até a President's Choice, uma identidade de rótulo próprio — a antítese de uma marca veiculada pela propaganda —, tem uma forte presença de marca em várias categorias de produto. Todos esses exemplos envolvem a criação de rumor entre o público e a mídia sem nenhum investimento significativo em propaganda. Foi o que a marca Botox conseguiu em grande parte pelo boca-a-boca.

Um argumento comum que o *establishment* da propaganda impingia aos clientes nas décadas de 1980 e 1990 era o seguinte: você precisa da propaganda para impor a sua marca. Se você usa técnicas de promoção de vendas, pode aumentar as vendas do seu produto a curto prazo, mas não estará aumentando o valor patrimonial da sua marca.[5] Na verdade, você pode estar depreciando o valor da sua marca recorrendo a táticas como o uso de cupons, a redução de preços e a indução de vendas forçadas.

Agora, depois de despertar bastante tarde para essas tendências de marketing, os quatro monstros da propaganda estão praticamente às voltas com todos esses ramos de atividades estranhas à mídia. Eles chegaram aonde chegaram em grande parte comprando dúzias de agências de relações públicas, empresas de promoção de vendas, desenvolvedoras da Web, empresas de marketing direto, empresas com imagem e identidade corporativa entre outras do mesmo gênero.

Instados a se definir, os CEOs das holdings muito provavelmente dirão que estão no negócio dos "serviços de marketing" ou no negócio de "construção de marcas", em vez de simplesmente no negócio da propaganda. Ainda mais indicativa da nova atitude da propaganda em relação às demais atividades de marketing é a mudança nas exigências para o acesso à American Association of Advertising Agencies. Durante décadas, apenas as agências de propaganda prestadoras de serviços podiam filiar-se à associação. Ao longo

5. No setor, conhecido como *brand equity*. (N. do T.)

daqueles anos, outras modalidades de marketing foram consideradas inferiores, sem o *status* exigido da propaganda de mídia. Piores de todas eram as empresas especializadas na compra de mídia, consideradas as tributárias mais inferiores do negócio da propaganda. Agora tudo se perdoa. A 4As liberalizou as suas regras de associação nos últimos anos, permitindo que qualquer integrante do setor de marketing se filie, seja de relações públicas, promoção de vendas, marketing direto, seja, sim, até mesmo de compra de mídia.

Pragmáticas tanto quanto filosóficas, as mudanças conduziram à liberalização das regras de associação. O número de associados na organização vinha sendo corroído ao longo dos anos por causa da consolidação no setor. Essa derrocada se exacerbou com a recessão na propaganda iniciada em 2001, que levou as agências a reduzir o seu pessoal e reavaliar todos os tipos de despesas.

APRENDENDO A INTEGRAR

O maior desafio para as Quatro Grandes é aprender como integrar a miríade de atividades das empresas antes independentes em estratégias de marketing coerente para os clientes. Entrevistas com vários participantes e observadores indicam que elas ainda estão longe de oferecer serviços de marketing verdadeiramente integrados, combinando propaganda na mídia com promoção de vendas ou marketing direto ou esforços de telemarketing.

Eis aqui um exemplo de quais eram as funções das agências desligadas quando eu era o editor da *Crain's Chicago Business* na década de 1980. Na época, era sorte nossa quando tínhamos um determinado cliente veiculando tanto propaganda institucional quanto anúncios de resposta direta na nossa publicação no mesmo período de tempo. A conta era controlada por uma grande agência de propaganda de Nova York juntamente com a agência de resposta direta de que ela detinha o controle e a qual operava. O cliente impusera como restrição a não veiculação de anúncio institucional e de resposta direta na mesma edição. Mas, como a agência e a unidade de resposta direta tinham operações independentes, era a responsabilidade *da nossa publicação* assegurar que não houvesse nenhum conflito, o que acompanhávamos com todo o cuidado.

Pode-se imaginar, no entanto, que duas afiliadas da mesma empresa devessem ser capazes de coordenar os seus vários trabalhos para o cliente. As duas afiliadas deveriam ter discutido com antecedência o momento certo para as suas campanhas, especialmente porque há muitas evidências de que as modalidades de marketing bimodal coordenadas muitas vezes funcionam com mais eficácia do que como trabalhos independentes.

As agências de propaganda tradicionais tiveram de enfrentar vários tipos de problemas nos últimos anos. Um deles foi o aumento da influência dos consultores de pesquisa de agências, uma função relativamente nova. Ao considerar a contratação de uma nova agência de publicidade, os clientes geralmente contratam consultores para ajudá-los a superar as dificuldades do processo. A maior parte dessas consultorias é exercida por ex-profissionais de propaganda.

Uma das empresas mais experientes no ramo é a Jones Lundin Beals, de Chicago, chefiada por Stan e David Beals (pai e filho), que se denomina um negócio de "consultores de relações cliente-agência". A empresa conduziu a sua primeira pesquisa em 1974, quando esse tipo de serviço era bastante raro. A prática tornou-se mais formalizada e mais detalhada nos anos subseqüentes.

Os consultores normalmente começam avaliando as necessidades do cliente, depois preparam um pedido de propostas para um grupo seleto — ou um grupo cadastrado — de agências. A pesquisa mais comum é feita entre agências prestadoras de serviços, observa David Beals, mas também pode envolver agências de marketing direto, empresas de relações públicas, empresas especializadas em compra de mídia ou especializadas em marketing étnico.

"O setor ficou mais complicado agora", acrescenta Beals. "A noção de agência prestadora de serviços mudou. O nosso primeiro passo é eliminar todos os conflitos entre clientes das agências que são consideradas. Até mesmo entre as holdings, muitos clientes não querem ter nenhum envolvimento com empresas cujas agências afiliadas estejam atendendo os seus concorrentes."

Embora uma pesquisa seja diferente da outra, os consultores costumam enxugar a lista até um punhado de agências e depois deixam os clientes tomar a decisão final. Praticamente, todas as agências acabam sendo pagas com base em algum tipo de honorários fixos, e Beals calcula que 35 por cento dos contratos incluem cláusulas de incentivo.

Talvez seja essa a parte que mais irrita as agências. "Não me importo de preencher os formulários mostrando as nossas qualificações para desenvolver o trabalho, mas não gosto que eles [os consultores] recebam algum tipo de remuneração à custa disso", diz um executivo de agência que pediu para permanecer anônimo. "Eles estão sempre tentando derrubar os nossos preços."

A outra complicação em tratar com esses consultores pode ser o custo para a agência, normalmente 100.000 dólares ou mais, para produzir apresentações para convencer consultores e clientes que o seu pessoal é capaz de fazer o trabalho. Também existem os danos psíquicos causados quando a concorrência por uma conta torna-se pública e a agência que não ganha o negócio tem de explicar o fracasso para os seus clientes e demais profissionais de propaganda.

Talvez nada demonstre melhor a mudança revolucionária na natureza das relações agência-cliente que uma tendência que ganhou força nos últimos anos. Muitos anunciantes grandes, incluindo a Procter & Gamble, contrataram gerentes de compras para trabalhar nos seus departamentos de marketing, para supervisionar e analisar os gastos com propaganda.

Essa iniciativa indica que os clientes estão esperando alguma responsabilidade de uma área que historicamente ofereceu muito pouco a esse respeito. A contratação de serviços de propaganda, é claro, não é tão quantificável quanto a contratação de serviços de limpeza. O elevado preço pago por comercial de televisão não indica com antecedência se esse será bem-sucedido.

Não há nenhuma indicação ainda de que a introdução de executivos de compras tenha afetado um produto de propaganda, mas o fato de os clientes estarem acompanhando com muito mais atenção essa área do que antes simplesmente aumenta a pressão sobre um setor que já está sujeito a pressões de todos os lados.

PERDENDO O GLAMOUR

Depois de ter passado por todas essas mudanças ao longo dos últimos vinte anos mais ou menos, também parece que a propaganda perdeu a imagem de ser *aquele* lugar ideal em que trabalhar, uma atividade emocionante, com bastante liberdade para ser criativo e inovador. Joseph Pisani, professor de propaganda na University of Florida e presidente da American Advertising Academy, diz que não houve nenhuma redução no número de alunos matriculados nos cursos de propaganda. "Cerca de 80 por cento dos nossos alunos de graduação vão atuar em alguma fase da propaganda, do marketing ou de vendas depois de formados. Provavelmente 10 por cento ou menos vão diretamente para as agências de propaganda. A ênfase no passado costumava recair sobre os empregos numa agência de propaganda, mas isso mudou porque nelas não há empregos."

O que também está faltando, Pisani diz, é o grande fascínio que a propaganda exercia sobre os alunos talentosos décadas atrás. Muitos que antigamente iriam para a propaganda agora começam na área de vendas, na outra extremidade do setor. "Eu acho que isso prejudicou o potencial criativo das agências", acrescenta ele. "Não tenho visto muitos trabalhos criativos ou inovadores, e era isso que atraía os formandos."

O presidente de uma associação de agências Burtch Drake confirma que as agências têm tido dificuldade de contratar os melhores formandos das faculdades. Ele sugere que as agências de propaganda geralmente estão pagando menos que o oferecido por consultorias administrativas, empresas de clientes e instituições de investimentos bancários. A propaganda, como todo mundo no setor compreende, foi afetada por uma grave recessão em 2001 e 2002, mas isso se baseia no impacto econômico e não é a causa da diminuição do interesse no negócio da propaganda.

UMA OUTRA OPINIÃO...

O "Índice de Envolvimento" dos Novos Meios de Comunicação Pode Mudar as Regras do Marketing para os Quarentões

DOM ROSSI

Numa época em que os Estados Unidos fogem da propaganda à velocidade de um clique, o retorno sobre o investimento em propaganda depende de uma nova definição de "horário nobre". Para ser considerado como um horário nobre, um meio de comunicação deve ser capaz de prender a atenção do público — e essa conexão deve ser medida.

Vem crescendo, entre as maiores agências, uma discussão em torno de um chamado "índice de envolvimento", resultado da aplicação de unidades de medida padronizadas sobre o relacionamento do público com as revistas. Existem dados semelhantes para fazer o mesmo com a TV, o rádio e até mesmo a Internet. Como profissionais de propaganda, deveríamos aproveitar a oportunidade para provar o relacionamento da mídia no mesmo padrão de atuação profissional. Só quando invertermos a distorção do tempo criada pela mídia é que vamos localizar de maneira confiável os consumidores interessados quando e onde eles estão dispostos a se envolver e assim restabelecer o valor desejado da propaganda.

No pé em que está, o marketing encontra-se defasado do ritmo da vida moderna. O manual clássico do marketing foi escrito há quarenta anos, quando as famílias se reuniam sempre no mesmo horário para o bolo de carne do jantar e assistir ao *Tio Miltie*[6]. A máquina da propaganda ainda segue a doutrina daquela época: se você quiser uma relação vitalícia da sua marca com o país, e puder pagar por isso, então deve anunciar para as massas mesmerizadas durante o horário nobre da televisão.

ATUALIZAR ESTRATÉGIAS

Naquela época, o papel do profissional de marketing era conseguir que as pessoas notassem a marca. Hoje, é conseguir que dediquem tempo suficiente à mensagem do anúncio para apreciar o diferencial da marca em relação

6. Referência ao primeiro líder de audiência da TV americana nas décadas de 1940-50, o programa humorístico de variedades conduzido por Milton Berle (1908-2002), carinhosamente apelidado "Uncle Miltie" ("Tio Miltie"). (N. do T.)

a um mercado de escolhas sem precedentes. Isso requer a adaptação das estratégias de comunicação ao caos controlado da vida moderna.

Considere uma "família comum" americana em uma noite da semana. Um filho saiu para o treino de hóquei, outro foi assistir a um jogo de basquetebol, a terceira filha entra na sala de bate-papo sobre história da sua classe na Internet às vésperas da prova na escola, enquanto a mãe está fazendo serão no escritório. O pai, antes de sair, deixou um bilhete na cozinha — "Frango, legumes, salada na geladeira. Comam tudo!" Até o cachorro, por sorte, tem um alçapão na porta da cozinha, para entrar e sair quando quiser.

Quando eles vêem TV, o termo "mesmerizado" dificilmente se aplica ao habitual cabo-de-guerra para definir quem segura o controle remoto. Além disso, eles têm pouquíssimo tempo livre, obrigações demais a cumprir e estão sempre preocupados com outros assuntos para agir de acordo com o relógio da rede de TV. A vida dessas pessoas tem um ritmo todo próprio — um ritmo que nós, profissionais de marketing, para o nosso bem, devemos considerar mais seriamente.

Podemos começar reconhecendo que o horário nobre não é mais uma "hora do dia". Ele é um estado de espírito. Horário nobre é o "meu tempo", aqueles louváveis instantes em que o consumidor pode sintonizar-se com um meio de comunicação e abrir-se ao seu conteúdo. Pode ser uma viagem de metrô, o aconchego à noite no sofá, um show na TV realmente interessante, a meia hora no estacionamento enquanto não acaba o treino de futebol dos filhos. Seja qual for o horário da programação, o consumidor é quem tem o controle dele.

Os profissionais de marketing espertos pregam o imperativo do "horário nobre" pela cartilha dos consumidores, ainda assim o nosso inveterado manual de marketing continua nos mandando despejar a parte do leão dos orçamentos no "horário nobre" nacional da TV, apesar das quedas de audiência (em média, do 18º ao 49º lugar na classificação de audiência das redes de televisão estão abaixo de 45 por cento desde 1988) e mudanças de canal. De vez em quando, um anunciante cria um "*whassup*"[7] que consegue prender a imaginação dos consumidores. Para a maior parte das empresas, no entanto, isso equivale a apostar o futuro em um lance de dados. Embora paguem os maiores preços, elas não conseguem conquistar o horário nobre dos consumidores.

A ironia em tudo isso é que enviamos pesquisadores por todo o mundo para entender cada nuance do estilo de vida dos nossos consumidores, com exceção do modo como eles se relacionam com a mídia. O interesse dos con-

---

7. Gíria derivada da expressão "*what's up*" ("o que está acontecendo" ou, mais propriamente, "*o que 'tá rolando*"), usada com enorme sucesso em uma recente campanha publicitária da cerveja Budweiser nos EUA. (N. do T.)

sumidores nem sempre está voltado para o ponto de contato, onde são investidas grandes somas de dinheiro.

A solução não está em desistir da propaganda na televisão. Nem em ampliar a lista de lugares públicos onde perseguiremos os nossos "alvos", de salas de espetáculos a divisórias de banheiros. Ela está em fazer evoluir a finalidade da máquina da mídia — de atrair a atenção para forjar relacionamentos.

UM NOVO MANTRA PARA A MÍDIA

Em primeiro lugar, "encontrar o estado de espírito certo" deveria ser o novo mantra dos responsáveis pela tomada de decisão em relação à mídia. Em vez de tentar atrair a atenção dos consumidores com um filme meticulosamente produzido quando eles realmente não estão interessados, podemos planejar conscientemente a conexão. Essa conexão começa com o esforço para descobrir os momentos em que os consumidores estão dispostos a nos dar tempo para comunicar uma mensagem importante.

A pesquisa sobre os estilos de vida dos consumidores precisa incluir quando e como eles realmente dedicam algum tempo aos veículos de propaganda. O estado de espírito — quando, onde e como os consumidores estão interessados — deve estabelecer os parâmetros para o processo criativo. O planejamento de mídia precisa sincronizar a mensagem com o meio. Um spot de quinze segundos pode comunicar um desconto de 1.000 dólares no preço de um carro que os consumidores já conhecem, mas um comercial de trinta segundos provavelmente não será suficiente para comunicar as suas características ao dirigir em comparação com os concorrentes.

E, finalmente, a mídia precisa gastar onde o envolvimento do consumidor-alvo, não só o tamanho da audiência, é maior. Só então os anunciantes podem esperar razoavelmente um retorno sobre o investimento.

Embora você espere que um executivo de revista questione os investimentos na TV, não se esqueça do essencial: todos os meios de comunicação (e todos os planos de comunicação) precisam encontrar o padrão ideal de envolvimento. A mídia é o ponto de impacto da propaganda, que continua sendo a principal ferramenta de geração de clientes do negócio. Depende de todos nós reverter a distorção do tempo para podermos atingir os consumidores — no território deles, nas condições deles e no horário deles. O setor está contando com isso.

Dom Rossi (dom_rossi@rd.com) é editor-executivo das revistas americanas da Reader's Digest Association. Este texto saiu na edição de 29 de abril de 2002 do Advertising Age.

CAPÍTULO 4

AFOGANDO-SE NA MÍDIA

Pouco a Pouco, a Proliferação Corrói o Poder dos Meios de Comunicação de Massa Tradicionais

Não existe um país no mundo — rico, pobre ou entre esses dois extremos — que não ofereça aos seus cidadãos mais meios de comunicação atualmente do que há cinqüenta, dez ou até mesmo dois anos atrás. Essa proliferação mundial da mídia é o que mais contribui para a revolução que está acontecendo na propaganda e no marketing.

Considere os meus próprios antecedentes bastante comuns como consumidor de mídia. Quando eu era criança em Chicago, no fim da Segunda Guerra Mundial, o nosso universo de mídia consistia em cinco jornais metropolitanos diários, um punhado de estações de rádio AM, diversas revistas nacionais, propaganda em *outdoors* e cinejornais. Parecia bastante na ocasião.

Os cinejornais foram o meio pelo qual a maior parte dos americanos realmente viu a rendição dos militares japoneses perante as forças Aliadas a bordo do USS *Missouri* no dia 2 de setembro de 1945. É bom lembrar que só vimos a fita em preto e branco, toda granulada, dias, talvez semanas depois de o evento ter acontecido.

A única outra fonte de imagens noticiosas era o fotojornalismo veiculado em jornais e revistas, especialmente na revista *Life*. Naquela época, é claro, a televisão não existia. O rádio FM era para aficionados e tinha poucos ouvintes. As estações de rádio AM ocupavam o lugar que a televisão ocupa hoje em dia. O rádio era o nosso principal meio de transmissão, apresentando as produções da CBS, da NBC e da recém-criada rede ABC. Também havia fortes estações de rádio locais em muitos mercados.

O COMEÇO DO RÁDIO

O rádio era o meio de comunicação de massa que oferecia programas para todo mundo. Praticamente não há nada na televisão atual que não tenha sido comprado, tomado emprestado ou roubado do rádio da década de 1940

— notícias, esportes, programas de perguntas e respostas, histórias de detetives, aventuras de faroeste, novelas, programas matinais, comédias de costumes, música para dançar, programas de variedades *et cetera*.

Ouvíamos rádio de maneira diferente naqueles dias, muitas vezes entre a família reunida. Todo mundo podia curtir *Inner Sanctum*, *Fibber McGee and Molly*, *Lux Radio Theatre* e dezenas de outros programas que atravessaram gerações. Não era incomum as crianças sentarem-se com os irmãos ou amigos para ouvir juntos programas infantis como *Jack Armstrong, the All-American Boy* ou *The Lone Ranger*. A programação diária era recheada de novelas produzidas principalmente para o público feminino, a imensa população de donas de casa.

No entanto, o rádio era basicamente um meio de comunicação de massa dirigido a quem tivesse orelhas. E foi assim que a televisão começou as suas transmissões, como um meio de comunicação de massa. A intenção era que todo programa pudesse ser visto por qualquer telespectador. Essa é a essência de um meio de comunicação de massa. O impacto da televisão no fim da década de 1940 e começo da de 1950, foi sem precedentes e esmagador. Ela estraçalhou o mercado dos velhos meios de comunicação em pouco menos de dois anos.

Entre 1949 e 1951, a metade dos cinemas do país foi à falência. Não havia mais sentido em ir ao cinema quando você podia assistir aos filmes na sua sala de estar e de graça. E a idéia de ir ao cinema para assistir a um noticiário que havia sido filmado duas semanas antes tornou-se absurda na era da televisão ao vivo.

Enquanto o negócio do cinema era dizimado, o rádio também oscilava à beira do esquecimento. Ele perdera grande parte da sua programação e a maior parte da sua propaganda para a televisão. Os americanos ficavam em casa à noite para assistir a programas de sucesso na televisão como *Amos 'n' Andy*, *The George Burns and Gracie Allen Show, Our Miss Brooks, Your Hit Parade, The Life of Riley* e *Gunsmoke*, todos os quais haviam migrado do rádio.

Talvez a mudança que mais tenha esfriado o rádio aconteceu entre 1950 e 1952, quando a Procter & Gamble passou praticamente todo o seu volumoso orçamento publicitário do rádio para a televisão, junto com as novelas patrocinadas pela sua propaganda. O rádio vivia o seu momento mais sombrio.

A maneira como assistíamos à televisão naqueles primeiros dias era semelhante ao modo como ouvíamos rádio. A família toda reunia-se na sala, com a diferença de que então as luzes eram apagadas. Em certas famílias, a parentela toda reunia-se praticamente todas as noites diante da telinha luminescente na casa do parente mais abastado que se apressara a adquirir o dispendioso aparelho. Outras pessoas reuniam-se em bares e restaurantes locais, um dos primeiros setores a adotar a televisão como um recurso para atrair a freguesia. Seguramente, esses estabelecimentos foram os precursores dos bares temáticos esportivos atuais.

O RÁDIO REINVENTA A SI MESMO

Cinqüenta anos depois, no entanto, o rádio estava bem mais saudável e mais rico do que se poderia imaginar em 1952. Poderia muito bem ter falido, não fosse por uma grande conquista: o rádio reinventou a si mesmo. Esse renascimento fica mais do que evidente na maneira como os seus ouvintes usam o meio hoje em dia. As famílias já não dispensam determinadas horas para ouvir rádio. Ninguém mais tem um grande rádio-console Philco na sala de estar. O pai com certeza não quer escutar a estação de rock alternativo que a filha adora ou a estação de rap que o filho prefere. Do mesmo modo, os filhos nem querem saber da estação de rádio só de notícias preferido pelo pai ou a estação que a mãe escuta, na qual só se transmitem fofocas e entrevistas.

O rádio já não é mais um meio de comunicação social ou um meio de comunicação de massa. É um meio de comunicação altamente especializado, voltado para os interesses pessoal e individual. O ícone do tipo de consumo pessoal dessa mídia é o *walkman* inventado pela Sony e todos os demais tipos de aparelhos portáteis do gênero. Ouvimos rádio em grande parte quando estamos sós. Colocamos os fones de ouvido quando malhamos na esteira da academia de ginástica ou seguimos no transporte coletivo a caminho do trabalho. Ligamos o rádio quando estamos sós no carro, procurando notícias ou informações sobre o tráfego quando ficamos presos num engarrafamento de trânsito. Um estudante secundário mantém o rádio ligado quando faz a lição de casa... ou quando não está fazendo a lição de casa.

Essencialmente, a programação do rádio evoluiu muito pouco além de música e informação. Para ter êxito, os elementos da programação devem ser breves. As pessoas entram e saem dos seus carros, entram e saem dos transportes públicos, passam da esteira para os aparelhos de levantamento de peso. É por isso que os dramas ou comédias de uma ou meia hora não dão mais certo no rádio. Até mesmo as longas sinfonias não funcionam mais — quer dizer, se você tiver a sorte de ter uma estação de música clássica na sua área.

O rádio informativo funciona porque cada pergunta ou comentário dura apenas um minuto ou dois, então passa-se a um assunto diferente. Eu dirigi um programa de comentários sobre economia e negócios numa rádio de Chicago e outras áreas durante dezoito anos. Era um comentário de sessenta segundos espremido entre a identificação do patrocinador na abertura e sessenta segundos de comerciais. Curto e doce. Seja breve; os seus ouvintes estão prestes a desligar ou mudar de estação.

Ao contrário de sete ou oito grandes estações de cinqüenta anos atrás, atualmente cerca de cinqüenta estações de rádio AM e FM atraem audiências significativas na região metropolitana de Chicago. Os ouvintes de rádio têm muito mais opções de programas hoje em dia e muito menos probabilidade de ter uma estação favorita. Os carros novos saem de fábrica com quinze ou mais estações prefixadas, facilitando para os ouvintes mudar de uma estação de notícias para outra de rock suave ou para outra ainda de crônica esportiva.

JORNAIS: UM MEIO EM DIFICULDADES

Ao contrário do rádio, que é um animal totalmente diferente hoje em dia do que era em 1950, o jornal, outro meio tradicional, continua essencialmente a mesma criatura indomada. O jornal de negócios continua sofrendo por causa da concorrência da televisão e outros tipos novos de mídia. Os jornais não se reinventaram. Os leitores ainda recebem a mesma mistura de notícias locais e nacionais, noticiário policial, comentários esportivos, horóscopos, cotações do mercado de ações, os colunistas de dor-de-cotovelo, receitas culinárias e assim por diante. Adicionar cores a um diário e aumentar a sua cobertura da previsão do tempo não são impeditivos ao seu futuro nefasto.

O declínio do interesse pela leitura do jornal impresso é muito bem exemplificado pelo que aconteceu em Chicago. Restam apenas dois diários metropolitanos na cidade e ambos têm menos leitores que há cinqüenta anos, quando havia quatro diários em Chicago. Entre 1950 e 2000, a circulação diária do *Chicago Tribune* caiu de 933.858 para 626.728, enquanto a do *Sun-Time* decaiu de 629.000 para 468.170. Isso aconteceu apesar de a população da área metropolitana ter aumentado mais de 40 por cento.

É como se os jornais existissem no vácuo e não reconhecessem que o resto do mundo foi para outro lugar. O rádio, a televisão, a transmissão por cabo e agora a Internet, todos foram corroendo aos poucos o papel tradicional do jornal como a principal fonte de notícias e informação. A CNN, a CNBC, o Headline News, a Fox News, a ESPN, o rádio informativo, o rádio esportivo e a América Online têm abocanhado a sua parte dos jornais. Nenhum deles existia cinqüenta anos atrás ou até mesmo 25 anos atrás. Em suma, ou os jornais mudam ou acabam. Eles precisam redefinir e reinventar a si mesmos como fez o rádio.

Talvez o maior problema com os jornais é que eles são os donos das suas gráficas. Eles agem como se levar as informações aos leitores só pudesse ser feito pondo tinta no papel e transportando todo esse papel de caminhão por toda a região metropolitana para depositá-lo na porta dos leitores. Praticamente todos os jornais têm sites na Internet, mas a maioria não desenvolveu um modelo empresarial que lhes produzisse um rendimento decente. Não que esse seja um trabalho fácil. Mas enquanto a circulação continua a declinar, os jornais deveriam estar fazendo uma grande reflexão sobre as suas funções.

O Pew Center for the People and the Press observou no resumo de uma pesquisa de 2002: "As pessoas se afastam cada vez mais dos jornais, embora não tenham desistido de ler. Aproximadamente um terço dos entrevistados admitiu ter dedicado algum tempo à leitura de um livro no dia anterior, índice que permanece inalterado desde meados da década de 1990. Os americanos com menos de 35 anos de idade, em um dia comum, muito provavelmente vão preferir ler um livro a um jornal."

DIFICULDADES PARA AS REVISTAS

As revistas também foram afetadas pela entrada da televisão em cena. No princípio, as publicações menores sentiram o impacto do tubo. Mas no início da década de 1970, os três enormes baluartes do setor editorial americano, *Life, Look* e *Saturday Evening Post,* estavam todos falidos. Assim como a televisão, eram em grande parte revistas de circulação em massa dirigidas ao mercado como um todo.

Com poucas exceções, as revistas bem-sucedidas atuais são publicações especializadas, voltadas para segmentos demográficos ou psicográficos[8] do mercado — nichos de público que procuram uma cobertura mais extensa dos seus temas de interesse. Isso, é claro, é exatamente o que anunciantes estão buscando para os seus produtos de nicho.

Poderia dizer-se que o setor de revistas de consumo cometeu um erro estratégico crucial durante os primeiros dias da televisão. As revistas de massa consideraram a televisão como um inimigo, daí erigiram campanhas defensivas visando segurar a propaganda nas suas páginas. O que as revistas deveriam ter feito era encarar a televisão como outro meio para expandir as suas marcas. Elas poderiam ter-se tornado fornecedoras das programações da televisão. Como resultado dessa atitude, não houve praticamente nenhum programa de televisão baseado no conteúdo editorial das revistas. Iro-

8. Dados psicográficos: termo de marketing para "quaisquer características que denotem o estilo de vida ou atitude do consumidor". (N. do T.)

nicamente, há mais revistas baseadas na televisão do que programas de televisão baseados em revistas: *TV Guide; Soap Opera Digest; O, the Oprah Magazine;* e *ESPN the Magazine*, para citar alguns.

Assim como os seus irmãos jornais, as revistas estão presas à função de impressão, mas elas não têm a necessidade de chegar diariamente a todos os seus leitores. No entanto, a proliferação de revistas novas também causou um impacto sobre a circulação. Das dez publicações de consumo de maior circulação em 1990, todas sofreram quedas, algumas significativas, em 2000. As vendas diretas de exemplares de muitas revistas também despencaram significativamente naquela década, outro resultado da proliferação de produtos sem um aumento correspondente de espaço nas bancas de jornal. A Tabela 4.1 mostra como as dez maiores revistas mudaram entre 1990 e 2000.

TV A CABO VERSUS TV ABERTA

Durante anos, a propaganda foi consumida por intermédio dos cinco principais meios de comunicação: televisão, rádio, jornais, revistas e ao ar livre. Desses, a televisão, indubitavelmente, era o meio favorito da propaganda. A televisão a cabo começou como um serviço de utilidade pública, levando os sinais da rede às comunidades fora do circuito, que de outro modo não poderiam receber os sinais adequados pelo ar. Mas nos últimos vinte anos mais ou menos, a transmissão por cabo começou a se afirmar como uma fonte de programação em competição direta com a televisão transmitida por ondas de rádio. É claro que, do ponto de vista do consumidor, tudo é televisão, porque o sinal aparece na mesma tela do televisor.

As transmissões por cabo têm algumas vantagens estruturais em relação às estações radiotransmissoras tradicionais porque contam com duas fontes de renda, as taxas de assinatura dos consumidores, além da renda com a propaganda. As assinaturas sustentam integralmente os canais sem propaganda como o HBO e o Showtime, que à sua maneira oferecem condições semelhantes às das estações tradicionais, embora não transmitam propaganda.

As redes sempre se vangloriaram de produzir uma ótima programação. Mas, nos últimos anos, a HBO tem acumulado comentários elogiosos dos críticos e atraído a atenção de milhões de telespectadores com programas originais como *The Sopranos, Sex and the City*, *Six Feet Under*[9] e uma diver-

9. No Brasil, foram ao ar como *A Família Soprano* (sobre mafiosos de Nova Jersey), *Sexo Urbano* (adaptação da série original, a qual saiu em DVD com o título em inglês), *A Sete Palmos* (sobre uma família dona de funerária). (N. do T.)

TABELA 4.1 CIRCULAÇÃO DAS REVISTAS DE CONSUMO

Classificação em 1990	Revista	Circulação
1	*Modern Maturity*	22.430.894
2	*Reader's Digest*	16.264.547
3	*TV Guide*	15.604.267
4	*National Geographic*	10.189.703
5	*Better Homes & Gardens*	8.007.222
6	*Family Circle*	5.431.779
7	*Good Housekeeping*	5.152.521
8	*McCall's*	5.020.727
9	*Ladies' Home Journal*	5.001.739
10	*Woman's Day*	4.802.842

Classificação em 2000	Revista	Circulação
1	*Modern Maturity*	20.963.870
2	*Reader's Digest*	12.566.047
3	*TV Guide*	9.948.792
4	*National Geographic*	7.828.642
5	*Better Homes & Gardens*	7.617.985
6	*Family Circle*	5.002.042
7	*Good Housekeeping*	4.558.524
8	*Woman's Day*	4.244.383
9	*Ladies' Home Journal*	4.101.550
10	*Time*	4.056.150

Fonte: Classificação de 1990: *Advertising Age*, 24 de junho de 1991, p. S-2. Classificação de 2000: *Advertising Age*, 18 de junho de 2001, p. S-1.

sidade de programas especiais. O retorno de *The Sopranos* para a HBO em setembro de 2002 foi um marco para a rede. O programa atraiu 13,4 milhões de telespectadores, tornando-o o título de maior audiência da história da HBO. Mais significativo ainda, esse seriado sobre o mundo do crime atraiu mais telespectadores que qualquer outro programa de televisão das redes naquele horário. Esse é um feito considerável, uma vez que a HBO está presente apenas em cerca de um terço dos lares americanos.

Tudo isso ajudou o sistema a cabo a se tornar um meio de comunicação que está presente em mais de 73 milhões de lares americanos, ou 70 por cento do total do país. Além disso, no mínimo 18 milhões de lares estão equipados para receber o sinal da televisão via satélite por antenas parabólicas.[10] Há uma pequena dúvida sobre se as audiências dos sistemas a cabo e por satélite estão aumentando. Cerca dos doze programas da TV a cabo de maior audiência geralmente atraem audiências maiores que a programação das redes abertas da Warner Brothers e da Universal Pictures Network, de acordo com Nielsen Media Research. Mas elas também vêm rondando as redes mais estabelecidas.

Há várias diferenças entre cabo e satélite, mas a grande diferença para o mundo da propaganda é o número de canais disponíveis para os assinantes. A maior parte das operadoras de TV a cabo oferecem aos seus assinantes cerca de 76 canais. As operadoras de satélite oferecem até 300 canais. Entre esses incluem-se os canais normais da TV a cabo, mais dezenas de canais de filmes do tipo *pay-per-view*.[11] (Ao contrário da TV a cabo, as operadoras de satélite não transmitem automaticamente toda a rede e os canais abertos locais.) Todos esses canais adicionais diluíram o enorme potencial do mercado de telespectadores que era dominado pelas redes de televisão.

Trinta anos atrás, as três maiores redes americanas — ABC, NBC e CBS — atendiam regularmente a 90 por cento dos telespectadores nos lares durante o horário nobre. Mas com tantas alternativas disponíveis aos telespectadores, as redes — a Fox incluída — podiam atingir menos de 40 por cento dos lares durante uma semana comum. Também ajudando a corroer parte da audiência das redes estão as duas redes de transmissão secundárias, um número considerável de estações de TV locais que subsistem oferecendo filmes ou reprises das séries mais populares como *Seinfeld* e *Arquivo X*, e as redes em espanhol, cujo mercado está se desenvolvendo mais rápido que o mercado de televisão como um todo.

Apesar dessa diluição da sua visibilidade, as redes ainda cobram os maiores preços dos anunciantes pelos comerciais porque ainda produzem as maiores audiências em massa. Há anunciantes que querem causar um grande impacto com a sua propaganda. O melhor exemplo disso é a transmissão anual do Super Bowl, que atraía 1 milhão de dólares por comercial de trinta segundos em 1995 e mais que 2 milhões de dólares para 2000. Esse valor por comercial ficou mais baixo nos últimos dois anos por causa da recessão geral no mercado da propaganda.

---

10. No Brasil, segundo o Ibope, 98 por cento dos lares brasileiros têm TV (uns 60 milhões de televisores, aumentando 5,5 milhões por ano), mas apenas cerca de 10 por cento possuem TV por assinatura. (N. do T.)
11. Programação pós-paga. (N. do T.)

Mas nem todos os anunciantes querem alcançar o enorme mercado não diferenciado. Alguns tentam atingir o seu público-alvo, algo que as televisões a cabo e via satélite podem fazer melhor com mais economia e regularidade. Um cliente que queira atingir o público masculino para anunciar a sua linha de produtos de barbear pode comprar tempo em um programa de esportes de uma rede ou na ESPN a cabo. As redes geralmente só oferecem programas esportivos nos fins de semana, enquanto a ESPN os transmite 24 horas por dia, sete dias por semana.

O COMETA INTERNET

Da mesma maneira que a televisão reformulou os setores da mídia e da propaganda na década de 1950, agora temos a Internet começando a produzir um grande impacto em todas as formas de comunicação. Isso será tratado em mais detalhes no Capítulo 10, mas merece algumas palavras aqui porque a Internet contribuiu para a rápida proliferação da mídia em todos os mercados do mundo.

A Internet está formando a sua audiência própria, drenando usuários de todos os outros meios de comunicação. No seu mais recente estudo bienal de tendências de consumo de informações (divulgado em junho de 2002), o Pew Research Center for the People and the Press informava que praticamente todos os meios de comunicação apresentavam declínios significativos de audiência desde 1993, com exceção dos noticiários *online*, dos jornais nas TVs a cabo e das rádios públicas.

Naquele período, os entrevistados que se consideravam espectadores regulares de programas de notícias de TV locais caíram de 77 por cento para 57 por cento (veja a Tabela 4.2); dos noticiários noturnos das redes, de 60 por cento a 32 por cento. Indagados se haviam lido algum jornal no dia anterior, 58 por cento disseram que "sim" em 1993, contra 41 por cento em 2002. Aqueles que se consideravam consumidores regulares (pelo menos três vezes por semana) de noticiários pela Internet aumentaram de zero em 1993 (quando a World Wide Web não existia) para 25 por cento em 2002. Em 2002, mais pessoas se consideravam consumidores de noticiários na TV a cabo (33 por cento) do que das transmissões noturnas de notícias nas redes (32 por cento). O estudo também indicou que o impressionante crescimento no consumo de noticiários online tivera o seu ritmo reduzido: "Mas o impacto relativo dos noticiários online continua significativo entre as pessoas com menos de 30 anos, para quem as notícias online são mais fáceis de acompanhar que em qualquer outro formato a não ser nos noticiários de TV locais" (Pew Research Center for the People and the Press, pesquisa R1, publicada em 9 de junho de 2002).

TABELA 4.2 TENDÊNCIAS NO CONSUMO REGULAR DE NOTÍCIAS

PORCENTAGEM DE ENTREVISTADOS QUE ADMITIRAM CONSUMIR MÍDIA

	Maio 1993	Abril 1996	Abril 1998	Abril 2000	Abril 2002
Noticiários de TV locais	77%	65%	64%	56%	57%
Noticiários de TV a cabo	—	—	—	—	33
Noticiários noturnos das redes	60	42	38	30	32
Revistas das redes de TV	52	36	37	31	24
Noticiários matinais das redes	—	—	23	20	22
Rádio[a]	47[b]	44	49	43	41
Programas de rádio interativos	23[c]	13	13	14	17
Cadeia Nacional de Rádio	15	13	15	15	16
Jornais[a]	58[b]	50	48	47	41
Noticiário *online*[d]	—	2[e]	13	23	25

[a]Dados de rádio e jornal baseados no uso "ontem".
[b]De fevereiro de 1994.
[c]De abril de 1993.
[d]Noticiários online no mínimo três dias por semana.
[e]De junho de 1995.

Fonte: Pew Research Center for the People and the Press, junho de 2002.

O que tudo isso significa, é claro, é que à medida que mais meios de comunicação novos entram no mercado, mais eles tendem a diluir as audiências de todos os meios antigos. Existem muito mais meios de comunicação ao meu dispor hoje que quando eu era criança há tantos anos em Chicago. *Nós todos* temos mais meios de comunicação à nossa disposição. O único problema é que nenhum de nós tem mais tempo para assistir a eles, lê-los ou ouvi-los.

MEGAMÍDIA

Um outro aspecto do universo da mídia que deve ser considerado é a questão da consolidação. Da mesma maneira que quatro holdings dominam o universo dos serviços de propaganda e marketing, um punhado de empresas de mídia exercem uma enorme influência sobre diversas categorias de mídia. A Walt Disney Company, por exemplo, é mais conhecida pelas suas produções cinematográficas, mas também está presente na televisão (ABC-TV), na TV a cabo (ESPN), no rádio (ABC Radio Networks) e nas revistas (proprietária de 50 por cento da *US Weekly*).

A Tabela 4.3 classifica as cinqüenta maiores empresas de mídia, segundo acompanhamento feito pelo *Advertising Age*.

Têm ocorrido também algumas consolidações no exterior de bens de mídia, mas muitos países têm regras estritas com relação à propriedade dos meios de comunicação por entidades estrangeiras. Isso serviu como um freio no crescimento desse aspecto do negócio da mídia. A propriedade de mídia no exterior tem maior probabilidade de acontecer no setor gráfico que em radiodifusão. E ainda existe a Internet, que é internacional pela sua própria natureza. Ela continua se desenvolvendo rapidamente não só nos maiores países industrializados, mas também em todos os países do mundo.

Finalmente, temos de considerar o velho adágio segundo o qual um novo meio não elimina o antigo. O rádio não acabou com os jornais; a televisão não eliminou o rádio, e assim por diante. Isso é verdade... até agora. Mas alguns tipos novos de mídia são tão destrutivos que forçam a mídia mais velha a mudar radicalmente para não desaparecer. Aqueles que decidem fincar pé e se recusam a mudar, se recusam a se reinventar, quase certamente acabarão lutando pela sobrevivência.

TABELA 4.3 AS 50 EMPRESAS LÍDERES DE MÍDIA, CLASSIFICADAS POR RECEITA LÍQUIDA DE MÍDIA NOS EUA EM 2001

CLASSIFICAÇÃO				RECEITA LÍQUIDA TOTAL DE MÍDIA NOS EUA					RECEITA LÍQUIDA POR MEIO NOS EUA, 2001					
2001	2000	Empresa de Mídia	Sede	2001	2000	Percentual de Mudança	Receita da Matriz Multinacional	Renda Líquida Mundial	Jornal	Revista	TV	Rádio	Cabo	Outros
1	1	AOL Time Warner	Nova York	$27.205	$24.957	9,0	$38.234	($4.921)	$0	$4.500	$445	$0	$13.542	$8.718
2	2	Viacom	Nova York	15.211	15.193	0,1	23.223	(224)	0	21	7.240	1.862	4.282	1.806
3	4	AT&T Broadband (AT&T Corp.)	Denver	10.329	8.855	16,6	52.550	7.715	0	0	0	0	9.799	530
4	3	Walt Disney Co.	Nova York/ Burbank, Calif.	10.228	10.428	–1,9	25.256	879	0	212	5.166	547	4.303	0
5	7	Cox Enterprises	Atlanta	6.266	5.818	7,7	8.600	n/a	1.350	0	490	359	4.067	0
6	5	NBC-TV (General Electric Co.)	Nova York/ Fairfield, Conn.	6.034	6.940	–13,1	125.913	13.684	0	0	5.360	0	674	0
7	8	News Corp.	Sydney	5.915	5.730	3,2	13.291	667	125	4	3.464	0	1.455	867
8	6	Clear Channel Communications	San Antonio, Tex.	5.703	6.093	–6,4	8.015	(1.144)	0	0	366	3.479	0	1.859
9	10	Gannett Co.	McLean, Va.	5.571	5.528	0,8	6.344	831	4.909	0	663	0	0	0
10	11	DirecTV (General Motors Corp.)	El Segundo, Calif.	5.550	4.694	18,2	177.260	601	0	0	0	0	0	5.550

TABELA 4.3 AS 50 EMPRESAS LÍDERES DE MÍDIA, CLASSIFICADAS POR RECEITA LÍQUIDA DE MÍDIA NOS EUA EM 2001 (*continuação*)

CLASSIFICAÇÃO				RECEITA LÍQUIDA TOTAL DE MÍDIA NOS EUA					RECEITA LÍQUIDA POR MEIO NOS EUA, 2001					
2001	2000	Empresa de Mídia	Sede	2001	2000	Percentual de Mudança	Receita da Matriz Multinacional	Renda Líquida Mundial	Jornal	Revista	TV	Rádio	Cabo	Outros
11	13	Comcast Corp.	Filadélfia	5.131	4.209	21,9	9.674	609	0	0	0	0	5.131	0
12	9	Tribune Co.	Chicago	5.104	5.577	–8,5	5.253	111	3.844	15	1.130	56	0	59
13	12	Advance Publications	Newark, N.J.	4.000	4.355	–8,2	4.000	n/a	2.025	1.975	0	0	0	0
14	14	Hearst Corp.	Nova York	3.986	4.136	–3,6	3.986	n/a	1.323	2.000	643	20	0	0
15	16	Charter Communications	St. Louis	3.953	3.249	21,7	3.953	(1.178)	0	0	0	0	3.953	0
16	20	EchoStar Communications Corp.	Littleton, Colo.	3.683	2.418	52,4	4.001	(215)	0	0	0	0	0	3.683
17	18	Cablevision Systems Corp.	Bethpage, N.Y.	3.064	2.998	2,2	4.405	1.008	0	0	0	0	3.064	0
18	19	Adelphia Communications Corp.	Coudersport, Pa.	3.060	2.557	19,7	3.525	n/a	0	0	0	0	3.060	0
19	15	New York Times Co.	Nova York	3.027	3.387	–10,6	3.016	445	2.826	0	128	13	0	60
20	17	Knight Ridder	San Jose, Calif.	2.900	3.212	–9,7	2.900	185	2.858	0	0	0	0	42
21	24	Bloomberg	Nova York	2.109	1.753	20,3	3.000	n/a	0	0	0	9	0	2.100

TABELA 4.3 AS 50 EMPRESAS LÍDERES DE MÍDIA, CLASSIFICADAS POR RECEITA LÍQUIDA DE MÍDIA NOS EUA EM 2001 (*continuação*)

CLASSIFICAÇÃO				RECEITA LÍQUIDA TOTAL DE MÍDIA NOS EUA					RECEITA LÍQUIDA POR MEIO NOS EUA, 2001					
2001	**2000**	**Empresa de Mídia**	**Sede**	**2001**	**2000**	**Percentual de Mudança**	**Receita da Matriz Multinacional**	**Renda Líquida Mundial**	**Jornal**	**Revista**	**TV**	**Rádio**	**Cabo**	**Outros**
22	23	Washington Post Co.	Washington, D.C.	1.923	2.058	–6,6	2.417	230	843	380	314	0	386	0
23	22	Primedia	Nova York	1.922	2.129	–9,7	1.742	(1.112)	0	1.709	0	0	115	98
24	21	Dow Jones & Co.	Nova York	1.773	2.203	–19,5	1.773	98	1.455	0	0	0	0	318
25	26	Belo	Dallas	1.365	1.589	–14,1	1.365	(3)	737	0	598	0	16	13
26	25	E.W. Scripps	Cincinnati	1.354	1.594	–15,1	1.437	138	739	0	278	0	337	0
27	29	Advo	Windsor, Conn.	1.137	1.129	0,7	1.137	51	0	0	0	0	0	1.137
28	30	Vivendi Universal	Nova York/ Paris	1.119	1.090	2,7	5.285	384	0	0	0	0	1.119	0
29	27	International Data Group	Boston	1.104	1.312	–15,8	3.000	n/a	0	959	0	0	0	145
30	28	McClatchy Co.	Sacramento, Calif.	1.040	1.129	–7,9	1.080	58	1.040	0	0	0	0	0
31	32	Discovery Communications	Bethesda, Md.	985	984	0,1	1.520	n/a	0	0	0	0	985	0
32	33	MediaNews Group	Denver	979	949	3,2	979	25	977	0	3	0	0	0
33	34	Meredith Corp.	Des Moines, Ia.	886	941	–5,8	1.044	71	0	610	270	0	0	6
34	36	Univision Communications	Los Angeles	878	863	1,7	888	52	0	0	872	0	0	6

TABELA 4.3 AS 50 EMPRESAS LÍDERES DE MÍDIA, CLASSIFICADAS POR RECEITA LÍQUIDA DE MÍDIA NOS EUA EM 2001 (*continuação*)

CLASSIFICAÇÃO				RECEITA LÍQUIDA TOTAL DE MÍDIA NOS EUA					RECEITA LÍQUIDA POR MEIO NOS EUA, 2001					
2001	2000	Empresa de Mídia	Sede	2001	2000	Percentual de Mudança	Receita da Matriz Multinacional	Renda Líquida Mundial	Jornal	Revista	TV	Rádio	Cabo	Outros
35	37	Reed Elsevier	Londres	855	862	–0,8	6.576	(206)	0	855	0	0	0	0
36	39	Valassis Communications	Livonia, Mich.	850	837	1,6	850	118	0	0	0	0	0	850
37	31	McGraw-Hill Cos.	Nova York	846	990	–14,5	4.646	377	0	741	106	0	0	0
38	41	MediaCom Communications Corp.	Middletown, N.Y.	839	788	6,5	590	(191)	0	0	0	0	839	0
39	40	Media General	Richmond, Va.	809	831	–2,7	807	18	542	0	258	0	0	9
40	42	A&E Television Networks	Nova York	804	770	4,5	804	n/a	0	18	0	0	786	0
41	38	Reader's Digest Association	Pleasantville, N.Y.	791	843	–6,2	2.369	n/a	0	783	0	0	0	8
42	46	Freedom Communications	Irvine, Calif.	760	734	3,5	760	n/a	663	0	97	0	0	0
43	44	Gemstar-TV Guide International	Pasadena, Calif.	741	739	0,3	1.368	(600)	0	533	0	0	107	101
44	52	Gruner & Jahr (Bertelsmann)	Nova York/ Hamburgo, Alemanha	735	629	16,8	8.592	641	0	735	0	0	0	0

TABELA 4.3 AS 50 EMPRESAS LÍDERES DE MÍDIA, CLASSIFICADAS POR RECEITA LÍQUIDA DE MÍDIA NOS EUA EM 2001 (*continuação*)

CLASSIFICAÇÃO				RECEITA LÍQUIDA TOTAL DE MÍDIA NOS EUA					RECEITA LÍQUIDA POR MEIO NOS EUA, 2001					
2001	2000	Empresa de Mídia	Sede	2001	2000	Percentual de Mudança	Receita da Matriz Multinacional	Renda Líquida Mundial	Jornal	Revista	TV	Rádio	Cabo	Outros
45	43	Landmark Communications	Norfolk, Va.	732	757	−3,4	805	n/a	439	0	69	0	224	0
46	48	Lamar Advertising Corp.	Baton Rouge, La.	729	687	6,1	729	(109)	0	0	0	0	0	729
47	50	Lifetime Entertainment Services	Nova York	727	663	9,7	727	n/a	0	0	0	0	727	0
48	58	Insight Communications Co.	Nova York	704	476	47,9	704	(94)	0	0	0	0	704	0
49	47	Sinclair Broadcast Group	Hunt Valley, Md.	646	727	−11,1	710	(128)	0	0	646	0	0	0
50	49	Zuckerman Media Properties	Nova York	613	667	−8,1	n/a	n/a	392	221	0	0	0	0

Nota: Valores em milhões de dólares. *Mídia* definida como negócios de distribuição de mídia amparados por propaganda. As receitas de mídia consideradas são estimadas sobre o último ano fiscal. Os resultados da matriz são conforme o relatado; a receita da matriz pode ser menor que a média total porque a média é *pro forma* sempre que possível e representa o total dos segmentos da empresa sem eliminações. Os números constituem uma análise do *Ad Age* dos dados da mídia medida do Competitive Media Reporting de Taylor Nelson Sofres, BIA Financial Network (rádio, TV), Duncan's Radio Market Guide, Paul Kagan Associates (cabo), Audit Bureau of Circulations e de documentos públicos.

Fonte: *Advertising Age*, 19 de agosto de 2002, p. S-2.

UMA OUTRA OPINIÃO...

O Último Legado do Tio Miltie: Os Anunciantes Não Podem Fiar-se em Recriar a História

FRED DANZIG

No final da década de 1940, o show de Milton Berle na TV motivava os americanos a sair de casa para comprar um televisor ainda em preto-e-branco para poder assistir ao seu ramerrão estridente de teatro de variedades, às suas paródias e piadas rasteiras, acompanhadas de caretas e trejeitos ensandecidos com os dentes sujos de tinta preta.

Sim, ele costumava representar um tipo de mau gosto e grosseiro. Mas, ei, o show era ao vivo. Era TV. Tinha muito blablablá, muita conversa fiada. Era melhor que aqueles diagramas de linhas em P&B transmitidos de vez em quando para ajudar a sintonizar o receptor de TV. E ainda por cima era de graça.

A morte do "Tio Miltie" no mês passado, aos 93 anos, inspirou artigos sobre como e por que ele se tornou o nosso "Sr. Televisão", mas também estimulou tentativas de relacionar os seis anos em cartaz do seu *The Texaco Star Theater* ao ambiente de marketing atual. Quais segredos há muito esquecidos do sucesso de Berle podem ser aplicados para aumentar a audiência, lealdade à marca e um impacto duradouro neste novo século?

A resposta: para os anunciantes de TV, poucos ou nenhum.

O sucesso de Berle tolda a visão do marketing atual. Os nossos últimos acordos da TV mais ambiciosos não chegam nem perto de se equiparar ao que Berle e o seu patrocinador, a Texaco, conseguiram no início pioneiro da TV, nas décadas de 1940 e 1950. Ainda assim a era Berle está fadada a permanecer como um modelo estreito, primitivo, principalmente porque o mercado atual convive com custos imensamente mais altos e de maiores opções.

NADA COMO OS "PRIMEIROS DIAS"

Tome como exemplo o mais recente grande negócio: o acordo da Ford Motor Company dando à NBC 9 milhões de dólares em anúncios na rede em troca de um pesado marketing multipromocional e programas de marketing casado envolvendo os veículos Lincoln e a audiência do programa *Tonight*, de Jay Leno. Ele foi classificado como "algo que lembra os primeiros dias da TV, quando os anunciantes patrocinavam programas inteiros sem a menor sutileza".

Será mesmo? Será que o título do programa *Tonight* está sendo mudado para *The Lincoln Star Theater?* Nos "primeiros dias", os recém-empossados executivos da TV estudavam desesperadamente a programação do rádio, da mesma maneira que os executivos dos primeiros dias do rádio estudaram o *vaudeville*. Existiam apenas cerca de 100.000 televisores em uso em janeiro de 1948, quando o vice-presidente-executivo da agência Kudner, Myron Kirk, começou a providenciar a transferência para a TV do seu programa de rádio de Berle patrocinado pela Texaco.

Aviso: o parágrafo seguinte pode causar vertigem e pressão sanguínea elevada entre muitos anunciantes de TV. Aconselha-se a leitura com cautela.

Quando o *The Texaco Star Theater* fez oficialmente a sua estréia na NBC-TV, em setembro de 1948, o seu orçamento semanal era de 15.000 dólares. Isso não dá nem 1 milhão de dólares por uma temporada de 39 semanas. Berle — o astro, diretor, produtor, redator, costureiro, maquiador e o que mais fosse preciso na TV — recebia 1.250 dólares por espetáculo.

Em 1949, porém, havia 700.000 televisores domésticos em uso, Berle chegara a 6.000 dólares por semana e, na Tevelândia, mais americanos visitavam a casa dos vizinhos donos de um televisor para curtir o espetáculo.

Durante os dois anos seguintes, somaram-se mais 7,4 milhões de televisores e os maiores anunciantes apressaram-se a vincular o seu nome aos programas da TV. E aí vieram *Hallmark Hall of Fame, Ford Startime, DuPont Show of the Month, GE Theater, Camel News Caravan, Bob Hope's Chrysler Theater, Gillette Cavalcade of Sports, Kraft Music Hall.* Os anos de glória do patrocínio integral — com comerciais de sessenta segundos — seguiam o seu caminho. É claro que, nos dez anos subseqüentes, os custos da propaganda aumentaram sucessivamente até 500 por cento, e dobraram novamente entre 1959 e 1971.

Os anunciantes, forçados a inverter a escalada de preços, conformaram-se com semanas alternadas ou acordos de co-patrocínio, anúncios de trinta e dez segundos, e saíram atrás de "programas especiais" para chamar a atenção. O nosso Sr. Televisão, exaurido na época, comandava *Jackpot Bowling*.

Em 1976, recordando aqueles anos, Dick Pinkham, o presidente da comissão-executiva da Ted Bates & Company, referiu-se ao horário de 8 às 9 da noite das terças-feiras do Tio Miltie, como "o horário dourado" da televisão. As razões? Um anunciante, a Texaco, era o proprietário do horário, tinha o seu nome em um espetáculo feito sob encomenda para atrair o seu público-alvo, desfrutava de proteção dos custos e até mesmo tinha comerciais embutidos no espetáculo interpretados pelo astro. A título de bonificação, o sr. Pinkham citou um "fator gratidão" do espectador, há muito perdido com o advento da compra disseminada de televisores.

Ele poderia ter lançado mais bonificação à pilha — o *jingle* de abertura de Berle: *"Oh, we're the men of Texaco/We work from Maine to Mexico/There's nothing like this Texaco of ours..."*[12]

Ele ainda está lá.

12. "Oh, nós somos os homens da Texaco/Trabalhamos do Maine ao México/Não há nada como essa nossa Texaco..." (N. do T.)

NEM DE LONGE

Será que algum dos horários de hoje — de ouro, prata ou bronze — se compara àquele? Os concertos Lincoln-NBC-Leno irão se tornar a versão do século XXI de Kudner-Texaco-Berle? Ou a colocação vinculada do modesto produto da Dr. Scholl com o *Survivor* da CBS? Ou qualquer número de casamento com grandes anunciantes a especiais de TV sazonais ou eventos esportivos?

Nem de longe.

A questão é que o impacto de Berle será sempre uma preciosidade histórica, um incentivo, um caso típico do supremo poder da TV. Mas essa não é uma meta da propaganda realística, dado o ambiente de mídia atual.

Em vez disso, o feito de Berle deveria inspirar os anunciantes a tomar o caminho contrário ao da TV atual, com programas de marketing feitos sob encomenda, bem fundamentados, ligados a todos os tipos de causas meritórias municipais, estaduais, regionais ou em nível nacional. Os programas vinculados criativos, sérios, de longo alcance podem gerar uma exposição berleana, duradoura, para os patrocinadores. E o custo, relativamente, seria mais administrável. Inclua aquele "fator gratidão" e o impacto fabuloso do Tio Miltie sobre a televisão ainda pode servir para inspirar as próximas lendas de marketing, descontando os dentes sujos de tinta e as paródias cômicas ultrajantes, que não são a parte mais importante da história.

Fred Danzig foi editor do Advertising Age *durante 10 dos 33 anos que passou no jornal. Ele era um daqueles que iam assistir ao Tio Miltie na televisão do vizinho. No ano passado, ele e a filha daquele vizinho comemoraram o qüinquagésimo aniversário de casamento. Este texto foi publicado inicialmente como um artigo da seção "Ponto de Vista" da edição de 22 de abril de 2002 do* Advertising Age.

CAPÍTULO 5

A DILUIÇÃO DA CRIATIVIDADE

É Mais Difícil Atrair a Atenção de Consumidores Atolados em Mensagens Publicitárias

Talvez nada tenha expressado com tanta clareza os desafios que enfrenta o negócio de agência de propaganda quanto uma manchete do *Advertising Age* de meados de 2002: "Riney declara o fim do anúncio de trinta segundos".

O artigo se referia a Hal Riney, fundador e ex-chefe da sua agência epônima (até ser vendida ao grupo Publicis) e um dos profissionais mais criativos dos últimos trinta anos. "Depois de pelo menos duas gerações de bombardeio da televisão nos Estados Unidos, a magia da propaganda tradicional não é mais magia nenhuma", declarou Riney à repórter do *Ad Age*, Alice Z. Cuneo. O comercial de televisão de trinta segundos, acrescentou ele, "é com muita freqüência praticamente ineficaz".

Essa declaração foi feita por um homem cujos comerciais de televisão serviram de instrumento para bem-sucedidas campanhas para todos os tipos de clientes, variando desde os automóveis Saturno, os baldes de gelo para vinhos Bartles & Jaymes até a reeleição de Ronald Reagan para a presidência do país em 1984. A agência dele produziu obras memoráveis para estabelecer e melhorar nomes de marcas.

Mas ele percebeu que o mundo mudou, embora muitos no negócio da propaganda ajam como se isso não tivesse acontecido. Talvez a mudança mais importante para provocar o comentário de Riney tenha sido a proliferação de meios de comunicação, assunto que é tratado detalhadamente no Capítulo 4 deste livro.

O impacto da televisão sobre a nossa consciência entrou em declínio. Não é incomum as pessoas com a idade dos Baby Boomers e mais velhas lembrarem-se de comerciais de televisão que não são mais veiculados há dezenas de anos. (Eu sou capaz até mesmo de recitar qualquer número de comerciais do *rádio* antes do advento da televisão!) Embora não haja nenhuma evidência científica para fundamentar o que eu digo, eu seria capaz de apostar que os jovens de hoje não serão capazes de se lembrar dos comerciais contemporâneos daqui a quarenta anos.

A razão para isso é óbvia: saturação.

Quarenta anos atrás, a televisão era um meio de comunicação novo. Nós assistíamos ao que passasse nela com um elevado sentido de concentração porque ela era tão nova. As pessoas definiam a televisão como "um cinema na sua sala de estar". E era assim que assistíamos à televisão, na sala na penumbra, muitas vezes acompanhados pela família e pelos amigos, especialmente os que não eram afortunados o bastante para ter o seu próprio televisor. Aquele mesmo nível de concentração se aplicava aos comerciais. Mas isso não durou muito tempo. Assim que os espectadores percebiam que já tinham visto aquele mesmo comercial uma dezena ou uma centena de vezes, eles iam ao banheiro ou ao refrigerador.

Houve comerciais que se tornaram memoráveis, como os da cerveja Lite, da empresa de aluguel de carros Hertz, do Alka-Seltzer, dos relógios Timex entre outros. Mas só porque um comercial é memorável não significa que fosse um comercial eficaz ou até mesmo que contivesse um trabalho criativo premiado. O que esses comerciais faziam era romper o filtro mental que interpomos quando o nosso programa de televisão é interrompido. Eis um exemplo de como isso acontece.

Cena de um filme policial: Policiais batem à porta de um apartamento. Ninguém responde. Eles tentam a maçaneta, mas a porta está fechada. Um policial então dá um passo atrás e força a porta com o ombro. (Tente fazer isso e acabará com o ombro quebrado.) Dentro do apartamento, vemos o corpo de uma mulher nua, parcialmente coberto por um lençol ensangüentado. A imagem fecha a câmara em uma faca encravada no peito da mulher.

Corte para o comercial: "Oi, eu sou o João Sincero da Seguradora Confiável e Honesta. Você tem certeza de que o seu plano de seguro de vida cobre todas as necessidades da sua família se algo lhe acontecer? E se você sair de cena de repente [ilustração de um pai com a família, mas a imagem dele desaparece]? Será que eles vão ficar bem sem você? Vai ficar tudo bem se você fizer o plano de seguro certo com antecedência..."

Todos nós estamos acostumados a ver essas justaposições infelizes da programação com os comerciais. Hoje, depois de ter assistido a centenas de milhares de comerciais em nossa vida, desenvolvemos filtros mentais que são praticamente impenetráveis. Podemos ver um comercial novo e dedicar a ele um instante se tanto de atenção. Se ele for atraente, podemos estender essa atenção por mais uma ou duas olhadelas. Depois disso, o filtro mental automaticamente torna cada vez mais difícil de ser penetrado quando reconhecermos um comercial velho. Como disse Hal Riney, a propaganda ficou praticamente ineficaz.

As agências de propaganda estão diante de problema trifacetado. O primeiro aspecto do problema é que a propaganda na televisão por radiodifusão não é tão importante quanto era anos atrás. A televisão por radiodifusão não tem a mesma presença que tinha na década de 1970. Outras alternativas de mídia têm esboroado a presença da televisão antes soberana. A segunda faceta é que o conceito de propaganda em si não é tão importante quanto era anos atrás. A propaganda perdeu uma quantidade considerável de influência para outras formas de comunicações de marketing, como a promoção de vendas, as relações públicas e o patrocínio.

Esses dois fatores me levam à terceira faceta do problema, de que o aspecto criativo da propaganda não é tão importante quanto era vinte ou trinta anos atrás. Isso não significa que a criatividade ainda não seja um elemento vital na propaganda, mas outros fatores tornaram-se mais decisivos para a função do marketing. Quando digo que a criatividade é menos importante, estou me referindo à função criativa na sua definição mais geralmente aceita, a incorporação de uma estratégia de marketing na criação da propaganda por meio da redação, da ilustração, da fotografia, da produção para televisão e assim por diante.

Há uma definição mais ampla de criatividade que poderia e deveria incluir estratégia, posicionamento, seleção de mídia e outras áreas menos estreitas. A maioria dos profissionais de propaganda concordaria com essa definição mais ampla de criatividade. No entanto, quando se trata de julgar a produção "criativa" das agências de propaganda, todos, exceto uma minoria, utilizam a versão mais estreita de trabalho criativo. A agência de propaganda mais criativa é supostamente a que ganhou o maior número de prêmios, digamos, no Festival Internacional de Propaganda em Cannes, seguido pelo Addy Awards, o Clio Awards, ou quaisquer das outras competições de propaganda. Todas essas competições comparam apenas a perícia na realização da propaganda, em vez de os resultados da propaganda. Extremamente poucas competições concedem prêmios com base na eficácia da propaganda, sendo que a mais destacada delas é a que outorga os prêmios Effie da American Marketing Association.

MAIOR E MAIS SEM GRAÇA

Uma das nuances perdidas na maciça reestruturação do setor na forma de enormes holdings é a personalidade das agências, que costumava se refletir na criatividade dos anúncios que elas criavam. Um anúncio da Doyle Dane Bernbach tinha um perfil nitidamente diferente de um anúncio da Leo Burnett ou da Chiat-Day. É muito mais difícil hoje em dia perceber essas diferenças ou ver esse tipo de marca distintiva em grande parte da propaganda atual.

Existem ainda algumas agências pequenas cuja personalidade se expressa na sua propaganda, mas isso não é tão comum quanto era trinta anos atrás. Como resultado, a propaganda tornou-se mais ou menos homogeneizada. Trinta anos atrás, viam-se anúncios de uma criatividade excepcional. Também veiculavam-se anúncios que as agências deveriam ter tido vergonha de produzir. No entanto, chegamos a um ponto em que a maior parte da propaganda — pelo menos no nível nacional — é aceitável, talvez mesmo muito satisfatória. Não ótima, mas também não péssima.

Existem motivos para isso. Qualquer agência pode aproveitar idéias e técnicas de outras agências — e é o que normalmente fazem. A disseminação do trabalho criativo inédito prossegue continuamente. Os novos comerciais são distribuídos mundialmente pela Internet poucas horas depois de terem estreado.

Uma análise dos comerciais de diferentes países mostra que as idéias criativas são habitualmente copiadas ou adotadas. Era costume as peças produzidas nos Estados Unidos serem a inspiração para o trabalho de criação da maior parte do setor publicitário do resto do mundo. Nos últimos anos, porém, é igualmente provável que as peças exemplares ou inovadoras provenham da Inglaterra, do Brasil ou da Espanha.

Outro fator para a ascensão do *status* de mínimo denominador comum da propaganda é a tecnologia. Hoje em dia, qualquer país do mundo dispõe de uma computação gráfica com alto nível de sofisticação. Essa tecnologia permite uma produção muito mais barata, rápida e fácil de ser corrigida e alterada que antigamente. Não há nenhuma razão para que qualquer agência de qualquer país produza um comercial ou um anúncio impresso com qualidade de produção inferior.

Fatores internos das agências e dos clientes também contribuem para a homogeneização da propaganda. Ao contrário do trabalho produzido por diretores de criação que também eram os empresários e chefes das suas agências durante aquela época da propaganda, o trabalho de criação atualmente tem de ser aprovado por departamentos de revisão de agências imensamente maiores e também obter a aprovação de burocracias de clientes imensamente maiores. Muitas vezes, as pessoas encarregadas da aprovação não são executivos de criação, nem mesmo profissionais de propaganda, mas um pessoal com diploma de MBA, de formação eminentemente administrativa.

UMA AUDIÊNCIA MAIS RÍGIDA

Finalmente, temos de considerar também algumas realidades com relação aos alvos da propaganda — nós. Os profissionais que fazem anúncios hoje em dia são muito menos criativos que os seus antecessores de anos atrás. Mas eles realmente têm uma audiência muito mais rígida. A maioria dos consumidores dos Estados Unidos e da maioria dos outros países ricos passaram a vida toda vendo comerciais de televisão. Atualmente, é muito mais difícil um comercial nos fazer rir ou chorar, fazer recuar de espanto ou inclinar a cabeça concordando, acreditar no produto anunciado e comprá-lo. Já vimos de tudo. Estamos saturados de propaganda. Talvez tenhamos nos tornado imunes à propaganda.

Um divisor de águas da criatividade na propaganda aconteceu durante a transmissão do Super Bowl de 2000, quando vários sites praticamente desconhecidos da Internet gastaram mais de 2 milhões de dólares por comercial para anunciar os seus serviços. Infelizmente, a propaganda foi tão "criativa" que se tornou impossível em alguns casos determinar quais serviços exatamente o anunciante estava oferecendo ao público. Por ocasião do Super Bowl 2001, pelo menos quatro dos anunciantes (Epidemic Marketing, Computer.com, Netpliance e OnMoney.com) tinham ido à falência, talvez por causa da propaganda irrelevante.

Se a propaganda ficou mais cuidadosa nos últimos anos — o que eu acredito que seja o caso — o Super Bowl 2000 foi uma dispendiosa lição na prática do motivo pelo qual isso aconteceu. A missão básica de qualquer anúncio — especialmente de um produto ou empresa novos — é transmitir informações, algo que esses anunciantes fizeram muito mal. Como um comercial pode demonstrar o que o seu produto é capaz de fazer para satisfazer uma necessidade dos consumidores quando ele não diz o que o produto oferece?

Há outras boas razões para a propaganda estar um pouco mais comedida. Elas variam desde a regulamentação por parte do governo até uma postura politicamente correta. Muitos anúncios populares que apareceram na década de 1960 seriam hoje enxovalhados da televisão por mostrarem as mulheres em atitudes servis ou integrantes de grupos étnicos em papéis estereotipados ou humilhantes, ou talvez por alegarem um grau de desempenho que não poderia ser verificado.

Uma grande parte da propaganda também sujeitou-se ao uso de fórmulas. Alguns anos atrás, assisti a uma apresentação do diretor de criação de uma agência que demonstrou bastante claramente essa noção do comercial de televisão intercambiável. Ele exibia os primeiros vinte segundos mais ou menos de um comercial de televisão, então parava a fita e perguntava se algum dos presentes saberia dizer qual produto estava sendo anunciado. Normalmente, ninguém na platéia fazia idéia. A maioria daqueles comerciais mostrava cenas cotidianas estereotipadas de crianças em balanços no recreio, ou um casal de jovens mergulhando em uma piscina, ou dois senhores distintos sorridentes jogando damas. Qual era o cliente? Não havia praticamente nenhuma diferença entre as cenas de abertura, seja para empresas de seguros, cartões de crédito, cereais, refrigerantes, franquias de *fast-food* ou remédios contra a gripe. A certa altura, o diretor de criação chegou a passar comerciais da Coca-Cola e da Pepsi-Cola lado a lado. A única diferença entre o que se via na televisão era que ele pôs a trilha sonora da Coca-Cola no anúncio da Pepsi e vice-versa. A notável demonstração mostrou que as trilhas sonoras podiam ser perfeitamente trocadas, assim como os respectivos vídeos.

A crescente uniformidade da propaganda tem sido demonstrada nas diversas competições de propaganda, em que as inscrições premiadas são cada vez mais "anúncios fantasmas". São os anúncios criados especificamente para entrar em competições, muito embora nunca tenham aparecido na mídia. Em alguns casos, pode ser que a agência nem sequer represente o cliente para quem o anúncio foi criado. Os concorrentes estão apenas tentando ganhar um prêmio e obter alguma notoriedade para o seu trabalho. Mas a sua criatividade que motiva a abertura do envelope de premiação nem sempre obteria a aprovação do cliente.

Na edição de 2001 do Festival Internacional de Propaganda em Cannes, o maior evento criativo do ano, uma dúzia de inscrições foram descartadas por se tratar de anúncios fantasmas. Em alguns casos, vencedores da competição tiveram de devolver os troféus depois que se descobriu que os anúncios eram falsos ou talvez nunca tiveram sido levados ao ar. A prática de inscrever anúncios fantasmas tornou-se tão comum que em 2002 o London International Advertising Awards instituiu as categorias de anúncio impresso, ao ar livre e em filme especificamente para anúncios fantasmas que nunca foram veiculados na mídia. A única exigência era que as agências teriam que representar de fato os clientes caracterizados nos anúncios.

A propaganda que nunca foi exibida é muitas vezes mais criativa e avançada que aquela que é veiculada na mídia. Por quê? Porque não teve que passar pelo processo de revisão e aprovação burocráticas das agências e dos clientes, que tem contribuído para a homogeneização da propaganda.

Nada disso significa que a propaganda esteja pior ou menos sedutora hoje do que em 1960. Ela mudou, é claro. A distância entre a propaganda de melhor e de pior qualidade diminuiu bastante. E da mesma maneira que a maioria dos automóveis atuais se parecem, o mesmo aconteceu com a propaganda.

Por causa dessas limitações, a propaganda de grande sucesso é muito mais difícil de ser criada hoje em dia do que era trinta ou quarenta anos atrás. É ainda mais difícil porque muitos dos padrões de transmissão impostos às programações da televisão nos primeiros anos se perderam. Linguagem grosseira, referências sexuais ostensivas, piadas sujas grotescas, pessoas seminuas e violência visual na programação estão por toda a parte na televisão a cabo. Elas também se alojaram na programação das redes de televisão. O resultado é que praticamente todos os comerciais parecem insossos em comparação com a programação.

A proliferação de canais a cabo e via satélite também afetará a criatividade na propaganda. Com uma audiência mais restrita, o comercial pode ser talhado mais de acordo com os dados demográficos e psicográficos das pessoas que assistem ao programa. Os profissionais de marketing deveriam se informar melhor sobre os públicos de nicho para serem capazes de se comunicar com maior eficácia com eles. Se um anunciante for incluir um comercial num programa com alto teor de testosterona como *The Man Show,* no Comedy Canal, a mensagem pode ser voltada diretamente para o público masculino, com a maioria dos espectadores na faixa dos 20 a 40 anos de idade, e com um toque mais sensual ou agressivo. O conceito criativo, a execução, as nuances e os sinais subliminares podem ser dirigidos muito estreitamente a esses espectadores. Uma mulher poderia sentir-se melindrada por esse comercial, mas ela se irritaria de qualquer maneira com o programa em si, de modo que o anunciante não deve se preocupar com ela. O mesmo anunciante também poderia aparecer no programa *Friends,* da NBC-TV, mas usaria um comercial diferente, que fosse mais aceito por um público misto, feminino e masculino.

Essa é a maneira como deveria ser. A natureza do público ditando o tratamento criativo e a execução do anúncio. Um comercial no canal a cabo Food Network, especializado em alimentação, poderia ser mais intenso que outro para o mesmo produto mas para o programa matinal *Good Morning America,* na ABC-TV.

ANÚNCIOS MUNDIAIS? AINDA NÃO

Considerando que estamos em uma era de anunciantes mundiais, agências de propaganda mundiais e mídia mundial, poderíamos deduzir que estamos diante de um futuro fortemente marcado por campanhas publicitárias mundiais. Até certo ponto, isso é verdade. Mas com culturas, idiomas, tradições, dados demográficos e estilos de vida diferentes, o conceito de propaganda mundial é exatamente isso, um conceito. Muito poucos comerciais podem ser exibidos mundialmente e ser igualmente eficazes e aceitos sem mudanças significativas.

Poderia haver uma estratégia mundial, mas a execução e até mesmo a mídia a ser usada poderiam mudar de um país para outro. Esse, é claro, é o argumento em defesa da agência de propaganda mundial que possa oferecer a orientação local para um produto mundial.

■ ■ ■ ■

Portanto, temos aqui uma lista de mudanças sutis e não tão sutis assim que aconteceram à propaganda nos últimos anos. Ela começa com a influência da consolidação da propaganda em algumas mãos. Acrescente-se a isso o declínio da importância relativa da propaganda, a homogeneização da criatividade, a burocracia nas grandes agências e grandes clientes, e o impacto da globalização.

Essa confluência de tendências, parece-me, explica por que o negócio da propaganda está mais desafiador do que nunca. Também está mais eficiente. Por causa disso, perdeu muito do glamour, da excitação e descontração com o que era associado durante os seus anos empreendedores. Com a propaganda dominada pelas quatro holdings de capital aberto, os aspectos econômicos da propaganda sobrepujaram os aspectos criativos. O orgulho da autoria foi sobrepujado pela perspectiva de rentabilidade.

As agências ainda querem produzir um trabalho excelente, e os clientes querem recebê-lo, mas isso tudo é feito segundo uma abordagem econômica mais disciplinada. Em senso empresarial, o negócio de agências de propaganda cresceu. Está muito mais sério. Talvez seja por isso que não seja mais chamado de o “jogo da publicidade”.

UMA OUTRA OPINIÃO...

A Propaganda Simplificada: Em Tempos de Recolhimento e Pratos Leves, Concentre-se no Essencial

STEVE NOVICK

Todo mundo anda com os circuitos mentais sobrecarregados. Em toda parte, as pessoas dizem que não conseguem se concentrar, que têm dificuldade de acabar o que começaram, sentindo-se incapazes até de ficar sentadas. Ansiedade e concentração não andam juntas. Quem está nervoso, perturbado, não se concentra.

Em um mundo cada vez mais complexo, todos estamos ansiosos por simplicidade. Queremos voltar aos valores simples: a religião, os amigos confiáveis e a família, e a vontade de ficar em casa e recolher-se.

Estamos retornando aos prazeres simples: pratos leves em vez de uma refeição farta, uma garrafa de *chianti* em vez de um *cabernet* supercaro. Grande parte do que era assunto cerca de dois meses atrás hoje parece insosso. Pontos de encontro badalados esvaziam-se enquanto os restaurantes de bairro estão superlotados.

A conclusão para a propaganda é esta: nós, também, precisamos voltar ao que é simples. Precisamos de idéias simples, não idéias simplistas. As idéias continuam tendo de ser grandes. Mas mais que nunca elas necessitam ser claras e direcionadas.

PRECISAMOS DE MENSAGENS SIMPLES

Em um mundo em que as pessoas têm dificuldade de se concentrar, não se pode esperar que decifrem um anúncio complicado. Ninguém quer prestar tanta atenção assim. Ninguém tem energia para isso. Não espere que as pessoas se esforcem tanto; elas não querem aprender com os nossos anúncios.

Eis algumas das antigas regras que agora são até mais verdadeiras:

- Um *spot* só pode ter uma idéia, não três, e oferecer apenas uma vantagem, não conter uma multiplicidade de ofertas.
- Os dias dos complexos "motivos pelos quais" acabaram. Não se pode argumentar com as pessoas para comprarem um produto.
- Quanto mais palavras você usar, mais contraproducente o seu trabalho. Diga apenas uma vez, ou melhor ainda, só mostre.

BOM HUMOR, POR FAVOR!

Se há um momento em que a propaganda e a diversão precisam convergir, este momento é agora. As pessoas estão ansiosas por um pouco de alívio, uma pequena ilha de prazer que lhes ofereça descanso das notícias do dia. Com o "pior pesadelo" delas em mente, precisamos distrair para abrir caminho. Anúncios que distraem são como oxigênio: uma pausa para respirar, libertar-se dos acontecimentos do dia.

O riso é a suprema fuga da tensão. Mas o tipo de humor que é conveniente mudou. Já vimos que o humor malicioso e cínico não encontra eco.

- Fazer troça ainda cai bem, mas depreciar não.
- O humor rígido — piadas forçadas e artificiais — é sempre sem graça. Isso não mudou nada. Hoje é mais inconveniente do que nunca.
- O humor estúpido, que tenta "nivelar por baixo" a informação, é coisa do passado. As pessoas provam diariamente que são capazes de lidar com assuntos sérios. O humor que trata as pessoas como adolescentes é paternalista, a menos, é claro, que elas sejam adolescentes.

Um tipo de humor que encontra eco é o que eu chamo de "humor comportamental". É o humor que deriva da observação inteligente das pequenas coisas que as pessoas fazem. Ele sai das observações espontâneas que as crianças fazem e do modo natural como elas se comportam. Ele encontra o encanto nas pequenas excentricidades e idiossincrasias das pessoas. Zomba dos padrões clássicos de comportamento. Podemos nos identificar com ele. Ele é verdadeiro, é autêntico e não é indelicado. Ele nos faz sentir bem. Nos anima.

PRODUTOS NÃO SÃO HERÓIS; PESSOAS, SIM

"Faça do produto o herói" é uma velha máxima que hoje não se aplica mais. O produto pode desempenhar um papel que permite a uma pessoa ser um herói, mas o produto em si provavelmente não é heróico, e não deveria ser retratado como tal.

Não exagere. Os produtos não podem ser o centro da nossa atenção, porque eles não são suficientes para prender a nossa atenção. É a maneira como as pessoas se relacionam com os produtos, a maneira como elas se comportam, que torna uma história interessante.

O público se identifica com um momento de triunfo humano. As pessoas sentem falta de histórias com que possam se identificar — pequenas conquistas, em que um obstáculo é superado ou uma pessoa faz algo surpreendente.

Cuide para que a marca seja modesta se levar parte do crédito. Não espere que as pessoas adorem as mercadorias. As pessoas querem se relacionar com alguém, não com algo.

CUIDADO COM O TREMULAR DA BANDEIRA

Uma idéia não melhora porque está bordada na bandeira. Os americanos adoraram ainda mais a sua bandeira depois dos acontecimentos de 11 de setembro, mas agora é hora de usá-la com sensatez.

É claro que existem marcas no país cuja herança está ligada à bandeira (desde os Correios até a marca de roupas e acessórios Tommy Hilfiger). Mas herança é uma coisa; imitar a moda dos outros é outra. O pseudopatriotismo é uma forma mal disfarçada de oportunismo, e não vai encontrar eco na mente do consumidor. É falta de sensibilidade.

CONFIE NA IDÉIA; NÃO A EXAGERE

Uma peça superproduzida de anúncio de propaganda é a antítese do que precisamos hoje. A superprodução só supercomplica.

Injetar dinheiro e técnicas destinadas a produzir um anúncio mais interessante só o encarecem. Isso só leva o consumo conspícuo para a tela da TV.

É claro que idéias simples devem ser atraentes e interessantes, além de bem executadas. Mas isso não requer comodismo ou excesso de requinte. Ver o Willie Nelson cantar *America the Beautiful* pode ser mais emocionante, e mais adequado, que um coro de 100 pessoas.

"Simples" pode parecer fácil, mas não é. A simplicidade expõe a qualidade de uma idéia. Embora possamos ter nos acostumado a pensar e produzir exageradamente, agora é hora de simplificar.

Steve Novick é o vice-presidente e diretor de criação do Grey Global Group, Nova York. Este texto foi publicado originalmente como um artigo da seção "Forum", da edição de 12 de novembro de 2001 de Advertising Age.

CAPÍTULO 6

NÃO EXISTE MAIS LINHA

Alternativas Antes Desprezadas Ganham Respeito e uma Fatia Maior do Bolo de Marketing

Em 2000, fui convidado por uma organização da propaganda polonesa para dar uma palestra em Varsóvia sobre as tendências no setor. Tendo reunido uma quantidade considerável de conhecimentos específicos sobre o assunto, concordei em proferi-la. Era também uma oportunidade para tratar de alguns negócios na Europa Oriental e visitar os representantes do *Advertising Age* na região. Como nos comunicávamos por e-mail, os meus anfitriões fizeram um pedido que me fez abanar a cabeça.

"Por favor", eles solicitaram, "você poderia falar apenas sobre ATL? Não queremos ouvir nada sobre BTL. Queremos saber como podemos lutar contra o BTL.

Precisei de um minuto para entender o que eles estavam querendo. Aquele grupo queria que eu direcionasse os meus comentários apenas para a propaganda "acima-da-linha", que é a propaganda tradicional colocada na grande mídia: jornais, televisão, revistas, rádio e ao ar livre. Essas atividades geraram receitas nos velhos tempos. Todo o resto era considerado como despesa e estava abaixo da linha de receita. Os meus anfitriões não queriam que eu mencionasse as atividades "abaixo-da-linha"[13] porque essas atividades de marketing estavam ameaçando o negócio tradicional da propaganda. Uma vez que o comunismo considerava a propaganda como um mal, por muitos anos o seu desenvolvimento foi tolhido na Europa Oriental. Eles não tinham acompanhado as tendências mundiais e sentiam-se ameaçados pelas novas formas da propaganda.

Respondendo ao pedido, disse aos meus anfitriões que não podia falar sobre tendências da propaganda sem comentar sobre o crescimento do marketing abaixo-da-linha. "Na verdade", sugeri, "o título da minha palestra se-

13. ATL = *above-the-line* (acima-da-linha); BTL = *below-the-line* (abaixo-da-linha). (N. do T.)

rá, *Não Existe Mais Linha.*" Eles foram muito corteses e concordaram com a minha sugestão, e a palestra foi bem aceita pelo público, embora possa ter havido alguns resmungos nas fileiras dos fundos.

Aprendi tanto com os meus anfitriões quanto eles aprenderam comigo. O primeiro fator a entender é que a propaganda na Polônia e nos outros países do antigo Bloco Soviético foi amplamente proibida até a queda da Cortina de Ferro em 1991. O negócio da propaganda na Polônia era praticamente novo na época. O setor incluía as afiliadas de muitas grandes agências multinacionais, assim como um punhado de agências locais encabeçadas por empresários entusiasmados. Pela primeira vez na vida, aquelas pessoas poderiam praticar o capitalismo abertamente. Poderiam ver comerciais na televisão e ler revistas com anúncios de produtos que alguns anos antes só existiam nas suas fantasias.

No entanto, para eles a propaganda não era só um meio de desenvolver marcas e vender produtos, mas também lhes dava uma oportunidade de fazer pronunciamentos públicos na mídia. Eles estavam começando a exercitar a liberdade de expressão há muito esperada, embora em muitos países ela não seja ainda tão livre quanto nos Estados Unidos.

A propaganda tradicional ainda estava se desenvolvendo na Polônia, em grande parte por causa do crescimento da mídia não controlada pelo governo. Mas, mesmo assim, muitos clientes usavam outras modalidades de marketing. Eles estavam abaixo-da-linha porque era a maneira mais eficiente de vender os produtos e serviços.

A essência da minha palestra na Polônia foi semelhante ao que você está lendo neste livro. É que a propaganda está mudando, e está mudando muito rapidamente. Uma dessas mudanças radicais é o crescimento de muitas modalidades novas e antigas de marketing que foram agrupadas sob a bandeira de "abaixo-da-linha". Na minha opinião, não há mais necessidade de "linha" nenhuma para marcar a diferença entre a propaganda tradicional na mídia e outras formas de atingir os consumidores. Uma vez que os profissionais de propaganda já não dependem mais de comissões sobre a mídia como a sua fonte exclusiva de receitas, não há mais motivo nenhum para não adotarem qualquer tática que sirva para desenvolver marcas e vender produtos. E essa situação deveria prevalecer em todo o mundo, incluindo os Estados Unidos.

Nesse país, o marketing direto e as atividades de promoção de vendas pelas agências de propaganda em 2001 produziu uma receita de 5,32 bilhões de dólares. Os serviços de propaganda renderam 14,1 bilhões em receitas (*Advertising Age*, 20 de maio de 2002). Essa é uma comparação interessante, considerando que a maior parte dessas agências só recentemente estabeleceu uma presença importante nessas áreas da não propaganda.

Para mim, o aspecto mais importante do marketing abaixo-da-linha para o pessoal das agências de propaganda é que ele lhes dá uma série mais ampla de instrumentos com que criar uma campanha de marketing bem-sucedida para o cliente. Ele lhes dá a máxima liberdade de criatividade. Já não precisam mais ficar presos ao anúncio impresso, ao comercial de rádio ou ao *spot* de televisão.

Seria preciso uma enciclopédia para relacionar todas as modalidades alternativas de marketing disponíveis aos clientes. Tentarei cobrir algumas das áreas mais importantes nos parágrafos seguintes.

MARKETING DIRETO

Até certo ponto, o Capítulo 3 já tratou do marketing direto, mas é importante reconhecer o tamanho e a influência desse setor. Uma pesquisa conduzida pela Wharton Economic Forecasting Associates para a Direct Marketing Association revelou que os gastos com o marketing direto em 2001 foram de 196,8 bilhões de dólares, 3,6 por cento a mais do que no ano anterior. Esse dado inclui a propaganda interativa na Internet.

Esse ganho aconteceu muito embora o negócio da propaganda estivesse sofrendo a sua pior queda anual nos gastos com o setor em mais de sessenta anos. Mais importante ainda, a pesquisa indica que o marketing direto gerou 1,86 trilhão de dólares em vendas em 2001. No futuro, espera-se que as despesas com o marketing direto subam a uma taxa anual de 6,5 por cento até 2006. Ao mesmo tempo, estima-se que as vendas cresçam 8,5 por cento ao ano, indicando um aumento na produtividade nessa atividade de marketing. (Há uma discrepância considerável entre os dados do *Advertising Age* e esses da DMA. Isso porque os índices da DMA incluem os gastos diretos dos clientes, enquanto o *Ad Age* conta só as receitas obtidas pelas agências de fora.)

Um dos motivos fundamentais de os clientes inverterem orçamentos maiores no marketing direto é que ele é diretamente contabilizável. O cliente pode determinar o retorno do investimento de uma determinada campanha ou projeto. Isso não é calculado com facilidade ou precisão no uso da propaganda de mídia tradicional.

Uma evolução que estimulou o crescimento do marketing direto foi o desenvolvimento da Internet em um meio de resposta direta. Durante o começo da World Wide Web, em 1994, os profissionais de marketing direto compreenderam o potencial da Internet como um meio eficaz para localizar os clientes potenciais. Um relatório de 1998 da Andersen Consulting (agora Accenture) declara: “Muitas empresas de propaganda tradicionais ainda tendem a ver a Internet como apenas outro meio de propaganda passiva, em vez de um canal de duas vias importantíssimo para aprender sobre os consumidores e comercializar com eles."

Para Howard Draft, presidente da Interpublic's Draft Worldwide, "a Internet não é tão importante ainda... mas está adquirindo importância e é um instrumento de forte lealdade". Ele diz que o desenvolvimento da lealdade é uma atividade básica e eficaz do marketing direto, embora o marketing direto não seja tão eficaz em iniciar a lealdade.

A Draft Worldwide, uma das maiores empresas de marketing direto do mundo, gerou uma receita de cerca de 381 milhões de dólares em 2001 em sessenta filiais, de acordo com *Advertising Age*. Draft classifica a organização como uma "empresa de marketing completamente integrada", produzindo todos os serviços exceto propaganda de mídia. Dentre as dez maiores agências de marketing direto nos Estados Unidos, cinco pertencem às grandes holdings e duas pertencem a outras agências de propaganda.

Embora nunca tenha comandado a atenção da mídia na propaganda (afinal de contas, o marketing direto compete com a mídia impressa, por exemplo), o marketing direto adquiriu um novo nível de estatura em 2002. Esse foi o primeiro ano em que o Festival Internacional de Propaganda em Cannes incluiu a categoria de marketing direto e presenteou com o prêmio Leão aos concorrentes premiados.

A Tabela 6.1 apresenta as dez maiores agências de marketing direto dos Estados Unidos.

PROMOÇÃO DE VENDAS

A área de promoção de vendas inclui uma grande variedade de serviços cujo objetivo é ajudar o pessoal de vendas de uma empresa na distribuição no atacado e no varejo e depois promover as vendas para o cliente final. Conforme aponta o próximo capítulo ao discutir o varejo, colocar um produto novo nas prateleiras de uma cadeia de supermercados não é uma jogada fácil, até mesmo para as maiores empresas de bens empacotados do mundo. Uma maneira comum de ajudar nesse processo é empregando promoções comerciais com os atacadistas e varejistas. Entre essas poderiam estar incluídos descontos e abatimentos, descontos promocionais, contribuições para o orçamento publicitário de um varejista, expositores de loja e criação de vínculos com produtos mais estabelecidos. E, é claro, sempre é cobrado um *slotting allowance*, ou "taxa de cadastramento de novos produtos", que a maioria dos clientes tem de pagar para colocar os seus novos produtos no canal de distribuição.

TABELA 6.1 AS 10 MAIORES EMPRESAS DE MARKETING DIRETO CLASSIFICADAS POR RECEITA DE MARKETING DIRETO NOS ESTADOS UNIDOS

CLASSIFICAÇÃO				RECEITA DE MARKETING DIRETO NOS ESTADOS UNIDOS		
2001	**2000**	**Empresa (Matriz [Rede])**	**Sede**	**2001**	**2000**	**Percentual de Mudança**
1	2	DraftWorldwide (Interpublic [Lowe])	Chicago	$240,9	$251,5	-4,2
2	1	Digitas	Boston	235,5	288,2	-18,3
3	3	Rapp Collins Worldwide (Omnicom)	Nova York	202,2	216,0	-6,3
4	4	Wunderman (WPP [Y&R])	Nova York	173,0	197,0	-12,1
5	5	OgilvyOne Worldwide (WPP [O&M])	Nova York	169,6	173,5	-2,2
6	6	Aspen Marketing Group	Los Angeles	109,9	156,2	-29,7
7	7	TMP Worldwide	Nova York	106,0	109,0	-2,7
8	8	MRM Partners (Interpublic [McCann])	Nova York	106,0	107,0	-0,9
9	9	Brann Worldwide (Havas [Arnold])	Wilton, Conn.	98,6	103,3	-4,5
10	10	Grey Direct Marketing Group (Grey Global)	Nova York	88,0	80,0	10

Nota: Em milhões de dólares. A posição do ano 2000 é baseada nos dados relatados ao *Ad Age* em 2002.
Fonte: *Advertising Age*, 22 de abril de 2002, p. S-14.

Depois de concluída a distribuição, os profissionais de marketing podem empregar uma variedade de técnicas de promoção de vendas direcionadas ao consumidor, como distribuição de amostras grátis nas lojas, cupons, brindes especiais, promotores de vendas, competições, jogos de azar, associação da marca *(cobranding)* com as de outros produtos, além de toda uma variedade de tipos de material colateral. Se houver propaganda associada a uma promoção de vendas, a propaganda normalmente é criada especificamente para a promoção e muitas vezes produzida pela empresa de promoções em vez de pela agência de propaganda.

Bud Frankel, fundador e presidente emérito da Frankel & Company, um das empresas líderes do setor, afirma que "a maioria das agências de propaganda simplesmente não entende a promoção de vendas", em especial as atividades em vários níveis de promover para os níveis de atacadista, de varejo e de consumidores ao mesmo tempo. "Sem a distribuição, você não vende os seus produtos, seja qual for o seu tipo de propaganda."

Frankel chegou a essa conclusão depois de uma experiência de quarenta anos no negócio e uma lista de clientes que inclui empresas como McDonald's, United Airlines, Target e Nestlé. Ele também sustenta que a promoção de vendas sempre respondeu por pelo menos 50 por cento dos orçamentos de marketing mas nunca foi considerada como deveria. Uma razão é que a maior parte das listas e relatórios considera apenas o trabalho feito por empresas externas como a Frankel. Eles normalmente não incluem o trabalho de promoção de vendas feito internamente pela empresa de um cliente.

Um outro ponto que a longa experiência de Frankel ilustra é a maturidade crescente do setor de promoção de vendas. Quando ele começou no negócio em 1962, as empresas de promoção de vendas normalmente não cobravam nenhuma taxa específica, mas geravam receitas aplicando uma margem sobre o custo de materiais produzidos para os clientes. Atualmente tudo está mais formalizado. É de praxe as empresas de promoções cobrarem honorários fixos pelo seu trabalho e normalmente trabalham por contrato.

Como uma evidência da natureza aquisitiva das maiores holdings da propaganda — e o seu desejo de diversificar — a Frankel & Company foi adquirida pelo grupo Publicis em 2000.

Às vezes, a propaganda tem de competir com a promoção de vendas pelos dólares de marketing de um cliente. Um exemplo envolve a H. J. Heinz Company, que mudou de estratégia ao longo dos anos de uma área para outra. Em 1994, a empresa cortou um relacionamento de 36 anos com a Leo Burnett Company porque tinha decidido usar "marketing não tradicional — marketing direcionado e micromarketing" para as suas marcas como a de atum Star-Kist e a comida para gatos 9-Lives. Desde essa época, a empresa vem alterando os seus padrões de gastos, mas as promoções continuam sendo um elemento importante na sua estratégia.

RELAÇÕES PÚBLICAS

A disciplina de marketing de relações públicas remonta ao avanço humano para o circo. Nos últimos anos, a RP começou finalmente a atrair alguma atenção merecida. Na verdade, recebeu mais do que merecia em um livro controvertido escrito em 2002 por Al e Laura Ries, *The Fall of Advertising and the Rise of PR* (HarperCollins).

Os Rieses (pai e filha) defendem que as relações públicas são um instrumento mais eficaz que a propaganda para o lançamento de novos produtos e o desenvolvimento de marcas. A propaganda, eles escreveram, é mais indicada para manter e defender marcas estabelecidas. O título do livro é um imenso exagero, mas é o tipo de título que gera publicidade e pode impulsionar bem as vendas. Al Ries sempre foi bom nisso.

É claro que as relações públicas não vão substituir a propaganda. Por várias razões. Uma envolve a natureza do produto ou serviço a ser apresentado. Algo que seja verdadeiramente um produto inovador, como o Viagra, ou um produto com um forte apelo à celebridade, como *O, the Oprah Magazine*, dão oportunidades já prontas para a difusão da propaganda. Qualquer um dos programas jornalísticos de entrevistas matinais adoraria mostrar a primeira entrevista do desenvolvedor do Viagra. E eles não perderiam por nada no mundo a oportunidade de igualar-se a Oprah Winfrey, ainda que o popular programa de entrevistas dela esteja em uma rede diferente.

Mas a maioria dos novos produtos e serviços é bem comum. Uma nova marca de brócolos congelados. Uma nova oferta de preços de uma empresa de telefonia. Um novo e melhorado aditivo para a gasolina. É muito difícil atrair a atenção do diretor de um programa de televisão ou de um editor-executivo de jornal com materiais desses.

Dito isso, contudo, devo acrescentar que não é impossível um profissional inteligente de RP conseguir orquestrar um acontecimento publicitário para promover um produto que não tenha interesse público inerente. Um gênio de RP sempre poderia contratar o ex-presidente George Bush, um renomado inimigo dos brócolos, e conseguir que ele experimente os brócolos do cliente no programa de entrevistas de final de noite de Dave Letterman. Isso lhe granjearia muita publicidade durante um ou dois dias, entretanto o cliente ficaria com a perspectiva de persuadir de alguma maneira o público alvo a experimentar o produto ou, mais importante ainda, de persuadir os maiores compradores das maiores cadeias de supermercados do país a estocá-lo.

A Tabela 6.2, uma lista das maiores empresas de relações públicas do mundo, ilustra o interesse das quatro maiores holdings nesse negócio.

Há uma diferença entre um evento publicitário único e um programa de relações públicas duradouro. Anos atrás, quando eu redigia uma coluna de marketing para o antigo *Chicago Daily News*, um agente de publicidade entrou na minha sala trazendo a reboque uma modelo trajando uma calça colorida e justíssima. Eles estavam promovendo um novo tipo de lâmina de

TABELA 6.2 AS 15 MAIORES EMPRESAS DE RELAÇÕES PÚBLICAS CLASSIFICADAS POR RECEITAS MUNDIAIS DE HONORÁRIOS EM 2001

POSIÇÃO				RECEITA MUNDIAL DE HONORÁRIOS		
2001	**2000**	**Empresa**	**Matriz da Organização de Publicidade**	**2001**	**2000**	**Percentual de Mudança**
1	**1**	Weber Shandwick Worldwide	Interpublic Group of Cos.	$426,6	$507,4	−15,9
2	**2**	Fleishman-Hillard	Omnicom Group	345,1	338,4	2,0
3	**4**	Hill & Knowlton	WPP Group	325,1	302,8	7,4
4	**3**	Burson Marsteller*	WPP Group	290,7	334,3	−13,0
5	**5**	Incepta	Incepta Group	266,0	243,9	9,1
6	**6**	Edelman Public Relations Worldwide	Independent	223,7	233,4	−4,2
7	**7**	Porter Novelli*	Omnicom Group	186,3	192,9	−3,4
8	**9**	Ketchum	Omnicom Group	185,2	168,2	10,1
9	**10**	GCI Group/APCO Worldwide	Grey Global Group	151,1	150,7	0,3
10	**8**	Ogilvy Public Relations Worldwide	WPP Group	145,9	169,5	−13 ,9
11	**13**	Euro RSCG Corporate Communications	Havas Advertising	124,2	108,0	15,0
12	**12**	Manning Selvage & Lee	Publicis Groupe (Bcom3 Group)	116,0	118,8	−2,4
13	**11**	Golin/Harris International	Interpublic Group of Cos.	113,2	134,7	−15,9
14	**16**	Cordiant Communications Group	Cordiant Communications Group	90,7	79,8	13,6
15	**14**	Ruder Finn Group	Independent	80,3	84,1	−4,5

* Números atualizados fornecidos pela matriz.

Nota: Em milhões de dólares.

Fonte: Dados obtidos pelo Council of Public Relations Firms; publicados no *Advertising Age* em 22 de abril de 2002, p. S-14.

barbear e a modelo iria me barbear enquanto o fotógrafo tiraria umas fotos. Considerando que eu já havia me barbeado, ela só fingiu me barbear enquanto eu flertava com ela e o fotógrafo clicava. Essa não foi uma experiência desagradável. Eu ainda tenho uma cópia daquela fotografia, mas nunca houve nenhuma publicidade no papel. E eu nem sequer me lembro que empresa estava envolvida.

Por outro lado, a McDonald's Corporation é um ótimo exemplo de uma empresa que tem alcançado elevados padrões com um trabalho de relações públicas consistente. O seu "porta-voz-palhaço", o Ronald McDonald, é conhecido no mundo todo e tem gerado simpatia pela empresa durante décadas. Isso se aplica tanto em relação a adultos como a crianças. Eu o vi marchando em desfiles patrióticos, presidindo inaugurações de restaurantes e entregando cupons de batatas fritas grátis em piqueniques. O personagem do Ronald evoluiu para uma imagem forte de relações com a comunidade.

Também existe uma ligação muito direta e positiva com o Instituto Ronald McDonald, que controla 212 instalações de alojamento ao redor do mundo. Esse programa permite que a família de crianças gravemente doentes que chegam para tratamento em hospitais fiquem alojadas em acomodações confortáveis próximo aos filhos por uma quantia ínfima. Manter relações públicas positivas com um programa junto à comunidade como este tem um valor inestimável.

No lado mais popular, a cadeia de hambúrgueres tem atraído todo tipo de atenção e negócios por meio de promoções como os bonecos em miniatura Teenie Beanie Babies e os produtos da série *Jornada nas Estrelas*. Todas essas promoções geram relações públicas sólidas, especialmente quando surge um mercado secundário para os bonequinhos e gera uma exposição adicional.[14]

Quando se examina a natureza das relações públicas, é fácil perceber que essa é uma das modalidades mais adaptáveis de marketing. Elas podem ser usadas em conjunto com a propaganda de mídia, o patrocínio ou promoção de vendas. Muitas das campanhas de promoções da McDonald's são vinculadas a relações públicas. "As relações públicas são também uma parte muito importante do marketing de eventos", afirma Tom Harris, consultor de relações públicas e autor com uma vasta experiência em todas as modalidades de relações públicas, incluindo as direcionadas às agências de propaganda.

Embora a proliferação da mídia tenha criado um problema mais difícil para as agências de propaganda, também abriu enormes oportunidades pa-

14. Algumas promoções de 2003 da McDonald's no Brasil: "Material escolar solidário", "Ronald McDonald volta às aulas com a criançada", "McDia Feliz" (que arrecadou R$200 mil para o Instituto Ronald McDonald em 2002). (N. do T.)

ra elas nas relações públicas. "Nos velhos tempos, tínhamos três redes e três revistas jornalísticas semanais. Hoje, os profissionais de RP têm várias opções de mídia", diz Harris. Com o foco mais estreito dos canais a cabo e via satélite, os agentes de publicidade podem conseguir entrevistas em formato mais longo na programação especializada. O executivo de relações públicas de uma empresa que produz varas de pescar ou iscas artificiais tem uma dúzia ou mais de programas ao ar livre onde conseguir exposição para os seus produtos ou executivos da empresa. Não havia quase nenhum cliente potencial na televisão aberta antes do sistema a cabo.

Em parte, isso surgiu com a redução das contratações de pessoal. As redes a cabo não gastam muito em produção como as redes abertas, e os programas de entrevistas são geralmente uma produção barata. Com isso abre-se um campo fértil para o profissional de RP que tem autores, celebridades ou outros profissionais buscando exposição. As oportunidades de entrevista variam desde o *700 Club* de Pat Robertson até *The Howard Stern Show* e de *Live with Regis and Kelly* a *The News-Hour with Jim Lehrer.* A TV a cabo geralmente oferece mais variedade de programação sobre negócios, cuidado com a saúde, finanças pessoais, esportes, lazer e muitos outros assuntos. O rádio também abriu-se substancialmente para as relações públicas, com muitos programas de entrevistas sobre praticamente qualquer assunto. Também há muito mais revistas cobrindo interesses especiais ou direcionadas para públicos especiais, todos eles ajudando a aumentar o número de oportunidades de entrevista.

Por causa desses fatores, a área de relações públicas ficou mais importante nos últimos anos. Essa área proporciona um meio eficaz para algumas empresas e alguns produtos desenvolverem uma imagem forte da marca. O sorvete Ben & Jerry e o creme dental Tom's of Maine são exemplos de empresas que desenvolveram a imagem da sua marca sem praticamente nenhuma propaganda.

As relações públicas também dão bons resultados com a propaganda de mídia, assegura Tom Harris, mostrando que a popular campanha do "Whassup" foi uma grande vencedora de RP para a cerveja Budweiser. Os rapazes que atuaram nos comerciais tornaram-se as celebridades imediatas, aparecendo em programas de entrevistas e de variedades das grandes redes de televisão. Nesse caso, a propaganda determinou as relações públicas, e não o contrário.

As relações públicas são também um dos elementos mais importantes na gestão do relacionamento com o cliente (CRM)[15], assim como os progra-

---

15. Ferramenta de marketing para fidelização do cliente, num mercado cada vez mais exigente e competitivo. Em inglês, CRM = *customer relationship management.* (N. do T.)

mas de lealdade praticados por hotéis, empresas aéreas e outras operações de varejo. Essa função das relações públicas é muito mais importante do que meramente conseguir citações em colunas e bordões. Significa ajudar a estabelecer uma imagem sólida e positiva na mente dos clientes, na mídia, entre os legisladores e quaisquer outros grupos que tenham tanta importância quanto o cliente. Esse também é um elemento decisivo para o desenvolvimento da lealdade à marca.

As relações públicas realmente deveriam permear todas as áreas em que o público tem contato com o cliente. Uma entrevista positiva do CEO da empresa no *Good Morning America* pode ser desperdiçada se os recepcionistas forem grosseiros ou desatentos ou se os clientes nunca conseguirem localizar um ser humano vivo ao tentar ligar para a empresa.

As holdings da propaganda também entendem a importância das relações públicas. É por isso que nove das dez maiores empresas de relações públicas do mundo pertencem às holdings. A Edelman Public Relations Worldwide é a única empresa independente naquele grupo.

PATROCÍNIO

Nos últimos anos, temos sido assolados por um rápido crescimento no número de mensagens de patrocínio, e essa tendência não vai desaparecer. Todo tipo de evento, de concertos de rock a óperas, de conferências de marketing a convenções médicas, é financiado pelo menos em parte por patrocinadores que tentam atrair a atenção e os interesses comerciais dos participantes presentes. Mas essas são apenas demonstrações cotidianas da onipresença do patrocínio.

Existem também acordos grandiosos direcionados a um público mais amplo. Tome-se como exemplo uma das mais veneradas tradições esportivas dos Estados Unidos, os campeonatos universitários de futebol americano. Cerca de 25 desses campeonatos acontecem todos os anos e praticamente todos eles têm um patrocinador que paga pelo privilégio de ligar o seu nome ao campeonato. Foi assim que acabamos convivendo com nomes aparentemente incongruentes como Tostitos Fiesta Bowl, Chick-fil-A Peach Bowl, Wells Fargo Sun Bowl e Nokia Sugar Bowl. O único remanescente até agora foi o Rose Bowl, que não vende o seu nome nem ao licitante mais generoso... bem, é um caso isolado. O legendário campeonato foi há pouco identificado oficialmente como "...o Rose Bowl, apresentado pela AT&T".

As razões para o patrocínio são muitas. Talvez a mais óbvia seja a exposição obtida pelos patrocinadores em todos os jornais, revistas, rádios e histórias na televisão sobre os campeonatos. Depois há a exposição na própria transmissão dos jogos, mais o contato com os milhares de fãs que comparecem aos estádios. Também conta a capacidade do patrocinador de usar o jogo como um evento comercial de entretenimento para os clientes especiais.

Se essa exposição for acompanhada por alguns comerciais na transmissão do jogo pela televisão, cria um pacote integrado que liga o patrocinador a uma tradição, gerando todos os tipos de vibrações emocionais no espectador. Considerando-se os benefícios de ser patrocinador junto com os direitos de transmissão de qualquer rede de televisão ou TV a cabo que esteja transmitindo o jogo, vê-se que esses interesses comerciais "apropriam-se" dos jogos, ditando até mesmo em que dia e a que hora eles deverão acontecer. As ligas e torneios universitários que apresentam os jogos não gostam de ouvir isso, mas é a única maneira realista de considerar essas relações.

O esporte e o patrocínio têm ligações há muitos anos. Isso é uma coisa boa para os fãs, porque são os patrocinadores que financiam as extensas programações esportivas profissionais e universitárias na televisão e no rádio. Mas nos últimos anos os patrocinadores envolveram-se ainda mais com um outro aspecto das competições esportivas: a propriedade imobiliária. Por exemplo, há cerca de 110 estádios e ginásios esportivos profissionais na América do Norte. Mais da metade deles levam atualmente o nome dos patrocinadores. Esses variam do Molson Centre, em Montreal, e Safeco Field, em Seattle, ao Great Western Forum, em Los Angeles, e Comerica Park, em Detroit.

Além da exposição de mídia, existem certamente outros benefícios, talvez mais concretos, que um patrocinador pode tirar do relacionamento. O patrocínio da Pepsi-Cola ao Pepsi Center, em Denver, é um bom exemplo. Como parte de um acordo de 68 milhões de dólares por quinze anos, a Pepsi é o único refrigerante vendido no ginásio que sedia o Denver Nuggets, da National Basketball Association, e o Colorado Avalanche, da National Hockey League. Os produtos da Pepsico, Frito-Lay, Tropicana e Quaker Oats também têm os direitos antecipados de ser vendidos exclusivamente no ginásio.

A quantidade de Pepsi-Cola vendida no Pepsi Center não é tão importante quanto o número de bebedores fanáticos de Coca-Cola que são forçados a mudar de marca enquanto assistem aos jogos ou eventos esportivos apresentados no ginásio. Por outro lado, considere a turnê de concertos de Michael Jackson da década de 1980, pela qual a Pepsi-Cola pagou milhões de patrocínio. Quando assisti ao concerto, não houve uma única menção à Pepsi durante o programa, e a Coca-Cola era o único refrigerante disponível no antigo Rosemont Horizon (atualmente, Allstate Arena). O nome da Pepsi vinha impresso no verso dos ingressos.

O mesmo princípio se aplica também a outros produtos. No Miller Park, em Milwaukee, os fãs só podem comprar uma marca de cerveja (adivinhe qual) enquanto assistem a uma partida de beisebol do Milwaukee Brewers. Intitular patrocinadores normalmente rende a sinalização interna nos estádios, direito a camarotes, créditos em reservas e cartões de marcação de pontos para acompanhar a partida e a possibilidade de realizar eventos de promoção de vendas com a equipe esportiva.

Os acordos para a concessão do direito de atribuir o nome, é claro, nem sempre resultam no que se planejava. Por exemplo, o Houston Astros já não joga no Enron Field. Deter os direitos de atribuir o nome para o estádio não foi suficiente para neutralizar a tremenda propaganda negativa gerada quando estourou o escândalo da Enron em 2001. O estádio simplesmente foi chamado Astros Park por algum tempo, mas em meados de 2002 o campo foi renomeado como Minute Maid Park. Como você deve ter adivinhado, essa é a única marca de suco de laranja que se pode comprar lá, juntamente com um certo refrigerante da matriz da Minute Maid, a Coca-Cola Company.

Essa não foi a única retirada de patrocínio da última temporada. Os executivos de marketing saíram correndo quando problemas legais e financeiros puseram uma nuvem em cima do MCI Center em Washington, D.C., e o Adelphia Coliseum, de Nashville, Tennessee. Em agosto de 2002, outra transação questionável se encerrou quando o conglomerado da Internet, a CMGI Inc., desfez o seu acordo para comprar os direitos de nomeação do estádio New England Patriots, em Foxboro, Massachusetts. Essa foi provavelmente uma coisa boa, uma vez que o nome "CMGI Field" de certa maneira não teria uma sonoridade muito poética.

O direito de atribuir nome a locais públicos não se limita aos ginásios esportivos. Os anunciantes também estão pondo os seus nomes em teatros, estabelecendo relações de longo prazo com locais que podem atrair bons clientes em potencial para os seus produtos e serviços. Em 2000, a American Airlines fez uma considerável contribuição à Roundabout Theatre Company, de Nova York, o que proporcionou à empresa um lar permanente em Times Square. Como resultado, o que costumava ser o histórico Selwyn Theatre foi rebatizado como American Airlines Theatre.

Esse não é um exemplo isolado de anunciantes que propõem pagamento para ter o seu nome ligado a locais públicos altamente visíveis. Em Chicago, por exemplo, os fabricantes de automóveis parecem ter tido êxito com a idéia. É lá que encontramos o Cadillac Palace Theater competindo com o Oriental Theater/Ford Center for the Performing Arts, distantes um quarteirão apenas um do outro no centro da cidade.

Em muitos casos, os anunciantes podem usar fundos normalmente comprometidos com as relações com a comunidade ou donativos para instituições de caridade. A associação com públicos afluentes rende todos os tipos de benefícios de marketing.

UMA OUTRA OPINIÃO...

Vá com Calma nos Negócios com o *Showbiz*: Aprendendo a Controlar o Poder do Entretenimento

PHIL GUARASCIO

Agora que o Screen Actors Guild provisoriamente concordou em permitir que as agências de propaganda ou as suas matrizes façam investimentos acionários no agenciamento de artistas, será que irão jorrar transações? Não tão depressa, espero. Vamos respirar fundo na questão do marketing do entretenimento — ou o que foi mais bem caracterizado como "marketing pelo entretenimento". Esse é um paradigma de que fomos os pioneiros mais de dez anos atrás na General Motors Corporation.

Considerando-se a atenção e a ambigüidade que envolvem essa perigosa alavanca de marketing, respirar fundo não é uma má idéia. Tem havido muita especulação em torno dos "grandes negócios", *joint ventures* e aquisições, mas a realidade é que ambos os setores, o marketing e o entretenimento, estão apenas começando a entender como controlar e equilibrar a força do entretenimento como um instrumento de marketing. Além disso, os negócios suspeitos entre as maiores agências de artistas e as empresas de propaganda e marketing parecem ser apenas, bem, suspeitos.

Essa é apenas uma situação temporária, porém. É crescente a aceitação da força do entretenimento como um instrumento sustentável de marketing quando conduzido com maior profissionalismo e com uma visão mais abrangente. Vários assuntos ainda precisam ser resolvidos antes que o marketing pelo entretenimento possa mudar para esse próximo nível.

Em primeiro lugar, os profissionais de marketing e as agências de artistas precisam entender que compartilham um laço forte em comum: ambos ganham a vida administrando marcas. Para a agência de artistas, poderia ser um autor ou um ator — mas é uma marca, não resta dúvida. Embora os métodos da agência de artistas possam ser mais subjetivos que os usados na Madison Avenue, ambos querem o mesmo resultado final: uma marca forte, apresentada com exclusividade com um prêmio para o consumidor.

AS AGÊNCIAS QUE NÃO SUBSTITUEM ARTISTAS

O negócio da propaganda precisa reconhecer que as agências de artistas são o portão de entrada para o negócio do entretenimento, e elas não serão substituídas pelas agências de propaganda. Por outro lado, as agências de propaganda "possuem" o relacionamento com o cliente e a administração da marca. Enquanto essa linha permanecer imprecisa, não haverá avanço.

Depois de ver ambos os negócios de dentro, muito mais diferenças aparecem na superfície. Os agentes de artistas existem em um mundo em que tudo gira em torno de uma ampla e crescente experiência em entretenimento e em como fechar contratos. Eles podem ser o máximo em dar conteúdo à marca no contexto do entretenimento. Os processos da agência da propaganda são muito mais disciplinados e estratégicos, e a capacidade de levar um cliente a fechar um contrato é decisiva para elas. Aqui estão outros aspectos básicos:

- O marketing pelo entretenimento precisa ser considerado como um instrumento estratégico, com base nas necessidades e não um dispositivo tático limitado. Precisa ser criada uma medida para permitir uma noção de valor mais fundamentada em fatos. Os clientes, que pagam as contas, precisam ver isso dessa maneira.
- O setor é mais amplo que a colocação de produtos em filmes e na TV. Compreende o universo inteiro das plataformas de entretenimento: música, teatro, mídia digital, publicações, mídia espacial e assim por diante. Em outras palavras, trata-se de interligar marcas e pessoas em qualquer lugar, de qualquer maneira e a qualquer hora.
- As iniciativas de entretenimento deveriam ser niveláveis e traduzíveis entre as plataformas e a geografia.
- Será necessário um processo para defender e fomentar as iniciativas do entretenimento entre as agências de propaganda e as organizações dos clientes porque, neste momento, essas idéias não têm um lar natural na maioria das empresas.

Quando ambas as partes chegarem a um acordo a respeito desses pontos básicos, os maiores negócios serão fechados de maneira mais realista. No entanto, sempre haverá questões financeiras. O negócio de agência de artistas segue um modelo essencialmente de honorários fixos por serviços prestados. Não é óbvio que haja bastante receita disponível com relação ao risco para ser atraente para as grandes holdings de capital aberto.

Além disso, não é preciso ser dono de agência de artistas para desenvolver um acordo "à primeira vista"; a capacidade das agências de propaganda para reunir os clientes na mesa de negociações, ou a sua disposição para a influência para a compra de mídia para ajudar a criar distribuição, é um incentivo suficiente.

O problema do lado da agência de artistas é que, num mundo voltado para os negócios, em constante mudança e que oferece tantos riscos, o relacionamento com uma agência de propaganda poderia reduzir o seu ritmo e torná-las potencialmente menos atraentes para o artista propriamente dito que é a essência. Se as agências de artistas podem possuir participações maiores no conteúdo, especialmente em programas de TV, como o pacto provisório da SAG permitiria, o modelo muda. Isso poderia facilmente aumentar o teto do investimento de uma empresa holding em uma agência de artistas porque a propriedade de conteúdo é onde se encontra o maior lucro — e também o maior risco.

Até que isso aconteça, a agência de artistas ainda é um negócio de honorários fixos por serviços prestados em Hollywood. A maior oportunidade para as agências de propaganda está em trazer os serviços com valor agregado para os clientes e obter oportunidades de receita, pela sua participação na execução que se projeta das idéias geradas pelo entretenimento.

A combinação desses dois negócios em um novo modelo é inevitável. Mas terá de ser constituído em sólidas bases comerciais e princípios de marketing, onde os clientes vêm sempre em primeiro lugar.

Phil Guarascio é presidente da PG Ventures, de Detroit, uma empresa de mídia e de marketing, e ex-vice-presidente de propaganda e marketing corporativos da General Motors Corporation. Até recentemente, ele foi consultor da William Morris Agency, entre cujos clientes inclui-se a GM. Este texto foi originalmente publicado como um artigo da seção "Ponto de Vista", da edição de 4 de março de 2002 do Advertising Age.

CAPÍTULO 7

OS VAREJISTAS FLEXIONAM OS MÚSCULOS

A Consolidação do Setor de Varejo Eleva a Pressão sobre Todos os Integrantes da Cadeia de Marketing

A quantidade de influência que o setor de varejo exerce sobre a indústria da propaganda é muitas vezes subestimada ou ignorada. Mas essa influência existe, é verdadeira e está crescendo.

Um motivo para esse crescimento é a concentração do poder do varejo em apenas algumas mãos. Isso é mais do que evidente no negócio de secos e molhados, onde há milhares de produtos com orçamentos de propaganda nacionais. Considere que as três maiores cadeias de supermercados americanas — Kroger, Albertson's e Safeway — operam um total de 6.500 lojas nos Estados Unidos e registraram cerca de 122 bilhões de dólares em negócios em 2001. Embora você possa não ter exatamente essas mesmas marcas de varejo no seu mercado, lembre-se de que, nesta era de consolidações, a Kroger também é proprietária de quinze outras cadeias de supermercados (incluindo a Ralph's), 789 lojas de conveniência sob outras seis bandeiras, duas lojas de alimentos de armazém, duas lojas de departamentos e 437 joalherias. O que antes era um negócio dominado por cadeias de alimentos de propriedade e operação local evoluiu para uma rede de gigantes dominada por algumas grandes cadeias com importante distribuição regional.

Existe uma verdade imutável na relação entre a propaganda e as vendas de bens empacotados: *se não for possível encontrar o produto nas prateleiras, nem toda a propaganda do mundo vai produzir nenhuma venda.*

É aí que está o problema para os profissionais de marketing de bens empacotados. Um fluxo contínuo de novos produtos deságua no mercado a cada ano, mas não há um aumento proporcional na quantidade de espaço nas prateleiras do supermercado médio. Com mais produtos disputando uma quantidade constante de espaço nas prateleiras, torna-se óbvio que os fabricantes primeiro têm de persuadir os atacadistas e varejistas a levar os seus produtos para depois persuadir os consumidores a comprá-los.

Vinte e cinco anos atrás, uma grande empresa de bens empacotados normalmente lançaria um novo produto com uma enorme campanha publicitária, geralmente acoplada a uma campanha de promoção de varejo. Mas a propaganda era um elemento essencial do marketing das empresas de bens empacotados. A vantagem para o varejista era que o fabricante gastaria milhões de dólares anunciando o produto, o que influenciaria o comportamento dos consumidores na cadeia local.

Hoje, qualquer profissional de marketing que tente colocar um produto novo na distribuição de varejo terá de oferecer um incentivo às cadeias de lojas de varejo para que aceitem o produto. O incentivo mais comum é chamado de *slotting allowance,* ou "taxa de cadastramento de novos produtos", variável de acordo com o fornecedor, para conseguir um espaço para o produto em uma cadeia de distribuição que já se encontra congestionada com tantas entradas. E há uma fila interminável de outros novos produtos disputando um espaço nas prateleiras dos supermercados.

As cadeias de varejo monitoram os registros de vendas desses novos produtos porque não querem desperdiçar o espaço valioso das prateleiras em artigos que não saem. O varejista está interessado nesse tipo de informação porque lhe permite um controle de estoque eficiente e ajuda na *category management,* ou "gerência por categorias de produtos", o mantra do setor supermercadista. A meta de todos os varejistas é maximizar a rentabilidade de cada centímetro de espaço nas prateleiras e em cada categoria de produto, principalmente porque a margem no negócio de alimentos é mais baixo que na maioria dos outros setores. Aparte isso, a coleta de dados pode oferecer também uma visão em profundidade dos hábitos de compra pessoais dos clientes.

Alguns grandes fabricantes negam que paguem taxas de cadastramento dos seus novos produtos a qualquer cadeia de supermercado, mas os peritos dizem que eles normalmente colocam algum outro tipo de bonificação sobre o faturamento em substituição à taxa de cadastramento. Pelo menos um perito em varejo e distribuição acha que os fabricantes também têm um problema porque nos últimos anos eles não produziram o tipo de novos produtos inovadores em que os varejistas estavam interessados. "Se você considerar a fralda descartável como um produto novo, então esse foi um gol", afirma Eric Strobel, sócio-gerente do Partnering Group e um ex-executivo de marketing da Kraft Foods e da Procter & Gamble. "Mas o que se tem agora são principalmente variações com base em produtos existentes, sabores diferentes, embalagens e tamanhos novos, versões de baixa caloria. Nesse caso, são como bolas na trave — no ângulo, às vezes — mas bolas na trave, não gols." Na verdade, eles não são produtos revolucionários, inovadores, para um supermercado. As lojas têm de ser persuadidas a pôr o novo produto na prateleira, e a melhor forma de persuasão para um varejista é a taxa de cadastramento ou outro tipo de estímulo financeiro.

Ao discutir as maiores cadeias de varejo, omitimos a Wal-Mart Stores, que na verdade vende mais mercadoria de supermercado (cerca de 880 bilhões de dólares anualmente) que qualquer cadeia de supermercados autêntica. Mas, uma vez que as mercadorias de supermercado são apenas parte dos 220 bilhões em vendas anuais dos gigantes varejistas, a Wal-Mart não é considerada um varejista de alimentos primário. Com base no volume de vendas, a Wal-Mart é a maior corporação americana na lista das 500 maiores empresas da revista *Fortune*. (Também é a maior corporação mundial, depois de ter ultrapassado a Exxon Mobil em 2002.) Definitivamente, é um jogador de peso no negócio de alimentos, embora possa não jogar segundo as regras tradicionais do varejo de alimentos.

Na verdade, o *Advertising Age* informou que a Wal-Mart tornou-se uma campeã de novos produtos por não praticar (até então) a cobrança de taxas de cadastramento. "A Wal-Mart é a primeira a receber os nossos produtos porque não temos de pagar taxas de cadastramento, e se o produto for um campeão de vendas lá, outros varejistas podem se dispor a abrir mão da taxa de cadastramento", afirmou Tim McMahon, vice-presidente-sênior de marketing e comunicações, da ConAgra Foods, ao *Ad Age* (*Advertising Age*, 29 de abril de 2002).

É improvável que isso aconteça porque os varejistas ainda estão diante de produtos demais para a quantidade de espaço disponível. Não obstante, a Wal-Mart está pensando em aumentar a sua participação no mercado de alimentos a varejo, não só nas lojas com a sua marca, mas também nos estabelecimentos dos seus Sam's Club. Enquanto mais produtos competirem por espaço nas prateleiras, inevitavelmente os varejistas exigirão algum tipo de concessão dos fabricantes, sejam taxas de cadastramento de novos produtos, sejam outros tipos de incentivo.

OS SUPERMERCADOS CRUZAM AS FRONTEIRAS

Ao lado da concentração de poder nas mãos de poucos operadores, o que pode ser outra tendência no varejo de alimentos é a internacionalização crescente do negócio de supermercados. A Wal-Mart ingressou rapidamente nesse campo. Ela se internacionalizou em 1991, com estabelecimentos no México, e se expandiu para nove países, com mais de mil lojas.

Mais internacionalizada ainda é a Royal Ahold, sediada na Holanda. É o quarto maior varejista de alimentos dos Estados Unidos, com mais que 23 bilhões de dólares em negócio em 2001 com as suas lojas Stop & Shop, Giant e outras cadeias locais. Ao todo, a empresa opera 9.000 lojas em 28 países. A Ahold também adquiriu a Peapod, o serviço pelo qual os consumidores podem pedir mantimentos e bebidas pela Internet e recebê-los em casa ou no trabalho num horário determinado.

Outro grande participante do jogo internacional é a cadeia Carrefour, sediada na França, que opera 9.200 lojas em trinta países, embora nenhuma nos Estados Unidos. Ninguém pode dizer quanto tempo levará para a Carrefour identificar um alvo de aquisição nos Estados Unidos e ingressar no mercado mais rico do mundo, mas as chances são de que isso aconteça. O que continuará aumentando a tendência de consolidação e o poder crescente do setor varejista.

Uma análise dos varejistas mundiais realizada pela Deloitte Touche Tohmatsu indica que diversos varejistas europeus estão muito mais adiantados na arena internacional do que qualquer varejista americano, com exceção talvez do McDonald's. Entre os cinqüenta maiores varejistas mundiais, relacionados na Tabela 7.1, incluem-se treze integrantes europeus e japoneses do mercado varejista que comercializam em pelo menos onze países e em mais de um continente. A Toys "R" Us é o único varejista americano com lojas em 29 países e em todos os continentes, menos na América Latina.

A maior parte do crescimento internacional do varejo começou nos últimos anos. Certamente, terá continuidade no futuro.

MAIS PRÓXIMO DOS CONSUMIDORES

A influência dos varejistas deriva em parte da consolidação do setor, mas também do relacionamento dos varejistas com os seus clientes. Um exemplo desse relacionamento são os planos de lealdade do cliente adotados pela maioria das cadeias nos últimos anos. Os clientes se inscrevem para receber um cartão que lhes confere preços de venda especiais em vários produtos todas as semanas. Quando o cliente passa pelo caixa na saída, o funcionário da loja passa o cartão do consumidor por uma escaneadora. Então todas as compras que o cliente faz naquele dia são escaneadas ou digitalizadas para o sistema.

O acúmulo desse tipo de dados no período de um ano pode dar ao varejista um profundo conhecimento dos hábitos de compra de cada cliente. O varejista pode determinar se o cliente tem forte lealdade de marca ou está disposto a mudar de marca se um artigo estiver à venda. O varejista sabe em que dias da semana o cliente faz compras, se ele ou ela usam cupons, que sabores e tamanhos o cliente prefere, e com que freqüência o cliente repõe

TABELA 7.1 AS 50 MAIORES EMPRESAS DE VAREJO

Classificação da Deloitte & Touche	País de Origem	Nome da Empresa	Tipos	Vendas de 2001[a] (em milhões de dólares)	Vendas no Varejo de 2001 (em milhões de dólares)	Receita do Grupo (Perda)[a] (em milhões de dólares)	Países de Operação
1	Estados Unidos	Wal-Mart	Armazém, descontos, hipermercado, superloja, supermercado	219.812	217.799	6.671	Alemanha, Argentina, Brasil, Canadá, China, Coréia do Sul, Estados Unidos, México, Porto Rico, Reino Unido
2	França	Carrefour	Conveniência, descontos, especializada, hipermercado, pegue e pague, supermercado	61.565	61.565	1.069	Argentina, Brasil, Bélgica, Chile, China, Cingapura, Colômbia, Coréia do Sul, Emirados Árabes, Eslováquia, Espanha, França, Grécia, Indonésia, Itália, Japão, Madagáscar, Malásia, Ilha Maurício, México, Marrocos, Omã, Polônia, Portugal, Qatar, Rep. Dominicana, Rep. Tcheca, Romênia, Suíça, Tailândia, Taiwan, Turquia
3	Holanda	Ahold	Conveniência, descontos, especializada, hipermercado, pegue e pague, supermercado	74.723	57.976	1.207	Argentina, Brasil, Chile, Costa Rica, Dinamarca, Equador, El Salvador, Eslováquia, Espanha, Estados Unidos, Estônia, Guatemala, Holanda, Honduras, Indonésia, Letônia, Lituânia, Malásia, Nicarágua, Noruega, Paraguai, Peru, Polônia, Portugal, Rep. Tcheca, Suécia, Tailândia
4	Estados Unidos	Home Depot	Especializada, faça você nesmo	53.553	53.553	3.044	Canadá, Estados Unidos, México, Porto Rico
5	Estados Unidos	Kroger	Armazém, conveniência, descontos, especializada, supermercado	50.098	50.098	1.043	Estados Unidos

TABELA 7.1 AS 50 MAIORES EMPRESAS DE VAREJO (*continuação*)

Classificação da Deloitte & Touche	País de Origem	Nome da Empresa	Tipos	Vendas de 2001[a] (em milhões de dólares)	Vendas no Varejo de 2001 (em milhões de dólares)	Receita do Grupo (Perda)[a] (em milhões de dólares)	Países de Operação
6	Alemanha	Metro	Departamentos, especializada, faça você mesmo, hipermercado, pegue e pague, superloja	43.877	43.357	398	Alemanha, Áustria, Bélgica, Bulgária, China, Croácia, Dinamarca, Eslováquia, Espanha, França, Grécia, Holanda, Hungria, Índia, Itália, Japão, Luxemburgo, Marrocos, Polônia, Portugal, Reino Unido, Rep. Tcheca, Romênia, Rússia, Suíça, Turquia, Ucrânia, Vietnã
7	Estados Unidos	Target	Departamentos, descontos	39.888	39.455	1.368	Estados Unidos
8	Estados Unidos	Albertson's	Armazém, farmácia, supermercado	37.931	37.931	501	Estados Unidos
9	Estados Unidos	Kmart	Descontos, superloja	36.151	36.151	(2.418)	Estados Unidos
10	Estados Unidos	Sears	Departamentos, especializada, mala direta	41.078	35.843	735	Canadá, Estados Unidos, Porto Rico
11	Estados Unidos	Safeway	Supermercado	34.301	34.301	1.254	Canadá, Estados Unidos
12	Estados Unidos	Costco	Armazém	34.797	34.137	602	Canadá, Coréia do Sul, Estados Unidos, Japão, México, Porto Rico, Reino Unido, Taiwan
13	Reino Unido	Tesco	Conveniência, departamentos, especializada, hipermercado, superloja, supermercado	33.885	33.614	1.195	Coréia do Sul, Eslováquia, Estados Unidos, Hungria, Irlanda, Malásia, Polônia, Reino Unido, Rep. Tcheca, Tailândia, Taiwan

TABELA 7.1 AS 50 MAIORES EMPRESAS DE VAREJO (*continuação*)

Classificação da Deloitte & Touche	País de Origem	Nome da Empresa	Tipos	Vendas de 2001[a] (em milhões de dólares)	Vendas no Varejo de 2001 (em milhões de dólares)	Receita do Grupo (Perda)[a] (em milhões de dólares)	Países de Operação
14	Estados Unidos	JCPenney	Departamentos, farmácia, mala direta	32.004	32.004	98	Brasil, Estados Unidos, México, Porto Rico
15	Alemanha	Aldi Einkauf	Descontos	31.310[b]	31.310[b]	n/d	Alemanha, Áustria, Austrália, Bélgica, Dinamarca, Espanha, Estados Unidos, França, Holanda, Irlanda, Luxemburgo, Reino Unido
16	Alemanha	Rewe	Descontos, especializada, faça você mesmo, farmácia, hipermercado, pegue e pague, superloja, supermercado	33.260	29.078	n/d	Alemanha, Áustria, Bulgária, Eslováquia, França, Hungria, Itália, Polônia, Rep. Tcheca, Romênia, Ucrânia
17	França	Intermarche	Alimentos, conveniência, descontos, especializada, faça você mesmo, pegue e pague, supermercado, superloja	28.710[b]	28.710[b]	n/d	Alemanha, Bélgica, Espanha, França, Itália, Polônia, Portugal, Romênia

TABELA 7.1 AS 50 MAIORES EMPRESAS DE VAREJO (*continuação*)

Classificação da Deloitte & Touche	País de Origem	Nome da Empresa	Tipos	Vendas de 2001[a] (em milhões de dólares)	Vendas no Varejo de 2001 (em milhões de dólares)	Receita do Grupo (Perda)[a] (em milhões de dólares)	Países de Operação
18	Alemanha	Edeka/AVA	Descontos, faça você mesmo, hipermercado, pegue e pague, superloja, supermercado	26.700[b]	26.700[b]	n/d	Alemanha, Áustria, Dinamarca, França, Polônia, Rep. Tcheca, Rússia
19	Estados Unidos	Walgreens	Farmácia	24.623	24.623	886	Estados Unidos, Porto Rico
20	Reino Unido	J. Sainsbury	Conveniência, hipermercado, superloja, supermercado	24.491	24.081	524	Estados Unidos, Reino Unido
21	França	Auchan	Departamentos, especializada, faça você mesmo, hipermercado, supermercado	23.456	23.456	295	Angola, Argentina, Bélgica, Brasil, China, Dinamarca, Espanha, Estados Unidos, França, Holanda, Hungria, Itália, Luxemburgo, Marrocos, México, Polônia, Portugal, Reino Unido, Rússia, Taiwan
22	Alemanha	Tengelmann	Descontos, especializada, faça você mesmo, farmácia, hipermercado, pegue e pague, superloja, supermercado	22.980[b]	22.980[b]	n/d	Alemanha, Áustria, Canadá, China, Dinamarca, Eslováquia, Eslovênia, Espanha, Estados Unidos, Hungria, Itália, Letônia, Polônia, Portugal, Rep. Tcheca, Suíça

TABELA 7.1 AS 50 MAIORES EMPRESAS DE VAREJO (*continuação*)

Classificação da Deloitte & Touche	País de Origem	Nome da Empresa	Tipos	Vendas de 2001[a] (em milhões de dólares)	Vendas no Varejo de 2001 (em milhões de dólares)	Receita do Grupo (Perda)[a] (em milhões de dólares)	Países de Operação
23	Estados Unidos	CVS	Farmácia	22.241	22.241	413	Estados Unidos
24	Estados Unidos	Lowe's	Faça você mesmo	22.111	22.111	1.023	Estados Unidos
25	Japão	Ito-Yokado	Alimentos, departamentos, descontos, especializada, hipermercado, superloja, supermercado	24.804	21.145	389	Austrália, Canadá, China, Coréia do Sul, Espanha, Estados Unidos, Filipinas, Japão, Malásia, México, Tailândia, Taiwan, Turquia
26	Japão	Aeon (Jusco)	Conveniência, departamentos, descontos, especializada, faça você mesmo, farmácia, hipermercado, superloja, supermercado	21.960	20.040	(121)	Canadá, China, Coréia do Sul, Estados Unidos, Filipinas, Japão, Malásia, Reino Unido, Tailândia, Taiwan
27	Estados Unidos	Auto Nation	Auto-atendimento	19.989	19.989	232	Estados Unidos
28	França	Casino	Alimentos, armazém, conveniência, departamentos, hipermercado, pegue e pague, supermercado	19.984	19.984	379	Argentina, Bahrein, Bélgica, Brasil, Colômbia, Espanha, Estados Unidos, França, Holanda, Líbano, México, Polônia, Tailândia, Taiwan, Tunísia, Uruguai, Venezuela

TABELA 7.1 AS 50 MAIORES EMPRESAS DE VAREJO (*continuação*)

Classificação da Deloitte & Touche	País de Origem	Nome da Empresa	Tipos	Vendas de 2001[a] (em milhões de dólares)	Vendas no Varejo de 2001 (em milhões de dólares)	Receita do Grupo (Perda)[a] (em milhões de dólares)	Países de Operação
29	Estados Unidos	Best Buy	Especializada	19.597	19.597	570	Estados Unidos
30	Alemanha	Otto Versand	Especializada, mala direta	19.905	19.307	64	Alemanha, Áustria, Bélgica, Canadá, China, Coréia do Sul, Espanha, Estados Unidos, Dinamarca, Finlândia, França, Hong Kong, Holanda, Hungria, Índia, Itália, Japão, Noruega, Polônia, Portugal, Rep. Tcheca, Reino Unido, Suíça, Taiwan
31	França	E Leclerc	Hipermercado, supermercado	19.050[b]	19.050[b]	n/d	Eslovênia, Espanha, França, Itália, Polônia, Portugal
32	Bélgica	Delhaize Le Lion	Armazém, conveniência, especializada, farmácia, pegue e pague, supermercado	18.957	18.957	132	Bélgica, Bulgária, Cingapura, Eslováquia, Estados Unidos, Grécia, Indonésia, Luxemburgo, Rep. Tcheca, Romênia, Tailândia
33	Alemanha	Lidl & Schwarz	Descontos, hipermercado, pegue e pague, superloja	18.110[b]	18.110[b]	n/d	Alemanha, Áustria, Bélgica, Croácia, Eslováquia, Espanha, Estônia, Finlândia, França, Grécia, Holanda, Hungria, Irlanda, Itália, Letônia, Noruega, Portugal, Reino Unido, Rep. Tcheca, Suécia
34	Reino Unido	Kingfisher	Departamentos, especializada, faça você mesmo, farmácia	17.196	17.196	979	Alemanha, Áustria, Bélgica, Brasil, Canadá, China, Cingapura, Eslováquia, França, Holanda, Itália, Luxemburgo, Polônia, Reino Unido, Rep. Tcheca, Taiwan, Turquia

TABELA 7.1 AS 50 MAIORES EMPRESAS DE VAREJO (*continuação*)

Classificação da Deloitte & Touche	País de Origem	Nome da Empresa	Tipos	Vendas de 2001[a] (em milhões de dólares)	Vendas no Varejo de 2001 (em milhões de dólares)	Receita do Grupo (Perda)[a] (em milhões de dólares)	Países de Operação
35	Estados Unidos	Federated Department Stores	Departamentos, mala direta	15.651	15.651	(276)	Estados Unidos
36	Estados Unidos	Publix	Supermercado	15.370	15.370	530	Estados Unidos
37	Japão	Daiei	Alimentos, departamentos, descontos, especializada, hipermercado, supermercado	18.599	15.260	(2.475)	China, Estados Unidos, Japão
38	Estados Unidos	Rite Aide	Farmácia	15.171	15.171	(828)	Estados Unidos
39	Estados Unidos	McDonald's	Alimentos	14.870	14.870	1.637	Mundial
40	Estados Unidos	May Department Stores	Departamentos, especializada	14.215	14.215	703	Estados Unidos
41	Estados Unidos	Gap	Especializada	13.848	13.848	(8)	Alemanha, Canadá, Estados Unidos, França, Japão, Reino Unido
42	Reino Unido	Marks and Spencer	Departamentos, especializada, supermercado	14.226	13.506	219	Alemanha, Bahrein, Bélgica, China, Chipre, Cingapura, Coréia do Sul, Croácia, Emirados Árabes, Espanha, Estados Unidos, Filipinas, Finlândia, França, Grécia, Holanda, Hungria, Indonésia, Irlanda, Japão, Kuwait, Líbano, Luxemburgo, Malásia, Malta, Polônia, Portugal, Qatar, Reino Unido, Rep. Tcheca, Romênia, Tailândia, Taiwan, Turquia

TABELA 7.1 AS 50 MAIORES EMPRESAS DE VAREJO (*continuação*)

Classificação da Deloitte & Touche	País de Origem	Nome da Empresa	Tipos	Vendas de 2001[a] (em milhões de dólares)	Vendas no Varejo de 2001 (em milhões de dólares)	Receita do Grupo (Perda)[a] (em milhões de dólares)	Países de Operação
43	Reino Unido	Safeway	Hipermercado, superloja, supermercado	13.400	13.400	354	Irlanda, Reino Unido
44	Alemanha	KarstadtQuelle	Alimentos, departamentos, especializada, mala direta	14.235	12.812	208	Alemanha, Áustria, Bélgica, Dinamarca, Eslováquia, Espanha, Finlândia, França, Holanda, Itália, Luxemburgo, Noruega, Polônia, Reino Unido, Rep. Tcheca, Suíça
45	Estados Unidos	Circuit City	Auto-atendimento, especializada	12.791	12.791	219	Estados Unidos
46	Estados Unidos	Winn-Dixie	Supermercado	12.334	12.334	87	Bahamas, Estados Unidos
47	Austrália	Coles Myer	Departamentos, especializada, supermercado	12.112	12.112	77	Austrália, Nova Zelândia
48	Estados Unidos	Meijer	Superloja	11.450[b]	11.450[b]	n/d	Estados Unidos
49	Estados Unidos	Toys "R" Us	Especializada	11.019	11.019	67	África do Sul, Alemanha, Arábia Saudita, Austrália, Áustria, Bahrein, Canadá, Cingapura, Dinamarca, Emirados Árabes, Espanha, Estados Unidos, França, Holanda, Hong Kong, Indonésia, Israel, Japão, Malásia, Maurício, Noruega, Portugal, Qatar, Reino Unido, Suécia, Suíça, Taiwan, Turquia
50	Estados Unidos	A&P	Supermercado	10.973	10.973	72	Estados Unidos

[a] Inclui vendas não varejo.

[b] Estimativa.

Fonte: Deloitte & Touche, com assistência da M+M Planet Retail.

os artigos. O varejista sabe se o cliente está contando calorias ou gordura, se tem colesterol alto, se é vegetariano, se é um cozinheiro *gourmet*, ou vive de refeições congeladas. O varejista sabe se o cliente tem filhos ou animais de estimação e se os animais de estimação incluem gatos ou cachorros — e se o cachorro tem pulgas. O varejista sabe até mesmo se a cliente tem dores menstruais freqüentes. Mesmo com todos os milhões de dólares que os fabricantes investem em pesquisa, eles ainda não têm essa profundidade de conhecimento que os varejistas têm sobre os clientes. E eles não encontram os seus clientes cara a cara uma ou duas vezes por semana como acontece com os varejistas.

O que é estranho é que a maioria das fontes diz que os varejistas não usam essas informações pessoais para direcionar artigos específicos aos clientes. Eles também não compartilharam esses dados com os fabricantes (que adorariam tê-los). Alguns dizem que, embora os supermercados possuam uma quantidade incrível de dados sobre os seus clientes — nós —, eles não estão tecnologicamente avançados o bastante para tirar proveito dessas informações. No entanto, a tecnologia pode ser comprada. É mais provável que os varejistas não queiram ser acusados de invadir a privacidade dos clientes. Isso poderia prejudicar irreparavelmente o delicado relacionamento entre clientes e varejistas. Também poderia chamar a atenção de autoridades reguladoras federais e organizações que promovem a proteção da privacidade.

RÓTULOS PRÓPRIOS REDEFINIDOS

Outra indicação da crescente influência varejista é o aumento nas vendas de produtos de rótulo próprio. Artigos de rótulo próprio, também conhecidos como "marcas de loja" ou "marcas da casa",[16] respondem por estimados 15 por cento do total das vendas de alimentos e de bebida, cerca de 70 bilhões de dólares ao ano. Espera-se que esse percentual suba a 18 por cento em 2004 (site da Agri-Food Trade Service na Internet).

A noção de rótulos próprios como um todo mudou consideravelmente nos últimos anos. Os assim chamados produtos genéricos embalados em branco que chegaram ao mercado americano no final da década de 1970 e início da década de 1980 em grande parte desapareceram. Eram artigos com o preço mais baixo possível, introduzidos numa época de inflação acelerada e contração econômica. Muitos dos rótulos próprios atuais, como Safe-

16. Em inglês, *private label* (rótulo próprio), *store brands* (marcas de loja), *house brands* (marcas da casa). (N. do T.)

way e President's Choice, são de uma qualidade igual ou melhor que a das marcas anunciadas de bens empacotados de grandes fabricantes. Eles podem ser até mesmo mais caros, embora não tenham o respaldo do apoio da propaganda de marca. Algumas grandes cadeias de supermercados até mesmo apresentam dois rótulos próprios, um que compete com a qualidade dos produtos de marca e um que é percebido como uma alternativa barata mas ainda de boa qualidade.

Seja qual for a forma com que sejam apresentadas, as marcas da casa tornam a luta por espaço nas prateleiras ainda mais intensa. Quanto maiores as cadeias de supermercados pelo acréscimo de mais lojas e clientes, maiores são as quantidades de rótulos próprios que podem comprar a custos unitários menores. Eles querem oferecer — e devem oferecer — marcas nacionais, mas as suas próprias marcas da casa normalmente rendem-lhes mais lucro por unidade.

É quase certo que essas marcas crescerão no futuro por causa de algumas tendências demográficas e psicográficas. À medida que os consumidores envelhecem, eles tendem a tomar mais cuidado com os gastos. Assim, à medida que os Baby Boomers envelhecem, é mais provável que venham a procurar pechinchas nas marcas da casa. Ao mesmo tempo, as Gerações X e Y mais jovens, tornando-se a geração seguinte de chefes de família, não se lembram dos produtos genéricos de baixa qualidade e marcas da casa do passado. Eles terão crescido com rótulos próprios e os aceitarão tão prontamente quanto aceitam as marcas anunciadas nacionalmente.

Na verdade, os varejistas estão fazendo o que a comunidade da propaganda tem feito há anos: construindo marcas. Eles têm a marca de patrimônio básica no estabelecimento de varejo, mais a marca de patrimônio das suas marcas de loja. Talvez a Sears, Roebuck & Company — apesar de ter saído da liderança do varejo — seja o melhor exemplo. O varejista construiu marcas forte com as baterias DieHard, as ferramentas Craftsman e os eletrodomésticos Kenmore. A Sears, contudo, não é uma exceção, mas parte de uma tendência crescente de marcas de varejo que são mais populares que as marcas de fábrica, como os jeans Gap, as jaquetas Eddie Bauer e as camisas com colarinho abotoado Land's End.

MENOS E MAIORES VAREJISTAS

Embora essa discussão de poder do varejo tenha se concentrado na área de secos e molhados, há muitas evidências de uma consolidação crescente em menos mãos em praticamente todas as outras áreas de vendas a varejo. Uma análise dos dados do *Statistical Abstract of the United States* mostra declínios de pelo menos 20 por cento no número de estabelecimentos varejistas em várias categorias, incluindo supermercados, revendedoras de automóveis novos e usados, farmácias, postos de gasolina, adegas, lojas de eletrodomésticos e de calçados. Cada vez menos varejistas vendem mais variedades de mercadorias.

As concessionárias de automóveis novos são um exemplo de como a influência pendeu dos fabricantes aos varejistas nos últimos anos. O número de revendedoras de automóveis novos nos Estados Unidos caiu de mais de 30.000 em 1970 para cerca de 21.400 em 2002 (*Automotive News Databook*, 2002). Isso significa que os revendedores remanescentes estão vendendo mais automóveis por concessionária. Mais importante ainda, eles estão vendendo mais marcas de automóveis, expondo agressivamente os produtos rivais dentro da mesma concessionária. Anos atrás, as franquias eram cedidas às empresas com exclusividade. Por exemplo, um revendedor Chevrolet não podia negociar, ao mesmo tempo, os veículos da Ford. Essa exigência não existe mais.

A exigência de exclusividade caiu por terra quando as marcas importadas entraram maciçamente no mercado e as concessionárias de marca abriram caminho para as concessionárias multimarcas. Um exemplo da tendência consolidativa é o antigo Mauro Auto Mall na rodovia interestadual 94 na zona rural entre Chicago e Milwaukee. A enorme operação de varejo durante anos foi uma concessionária de nove principais marcas, incluindo rivais de mesma estatura como a Ford e a Chevrolet, e a Nissan e a Toyota.

Essa foi uma demonstração clássica da influência do negociante, mas esse exemplo torna-se ainda mais eloqüente da troca de poder dos fabricantes para os negociantes. Em 1998, a operadora Mauro foi comprada pela CarMax, uma das maiores organizações de negócios de automóveis usados dos Estados Unidos, quando a CarMax passou a aumentar a sua presença no negócio de automóveis novos. E como mais uma indicação da consolidação do varejo, a CarMax era propriedade na ocasião da Circuit City Stores Inc., um dos maiores varejistas americanos de computadores, aparelhos eletrônicos e eletrodomésticos. (A Circuit City estava considerando o desmembramento da CarMax no momento em que este livro era escrito.)

Só recentemente a CarMax tornou-se um grupo de revendas de automóveis novos e tem crescido continuamente. Embora tenha uma operação bem grande, ela parece pequena em comparação à AutoNation, Inc., que detém a distinção de ser o maior varejista de automóveis dos Estados Unidos. A AutoNation opera cerca de 285 concessionárias em dezenove Estados, controlando os Três Grandes fabricantes de automóveis americanos, assim como as Três Grandes Montadoras japonesas. Em 2001, ela declarou um volume de vendas de 454.000 automóveis novos (mais as vendas de 258.000 automóveis usados), com uma receita total de 20 bilhões de dólares. As montadoras olham onde põem os pés quando negociam com a AutoNation. Da mesma maneira como os empórios familiares foram substituídos pelos supermercados, as pequenas concessionárias estão sendo substituídas pelas megalojas de automóveis.

A ponta de varejo do setor automotivo é tão atraente que a Ford tentou entrar no negócio no final da década de 1990. Ser capaz de fabricar automóveis e vendê-los diretamente ao público teria proporcionado à Ford força de marketing bastante, permitindo à empresa ganhar mais dinheiro e competir mais agressivamente com os outros fabricantes. A Ford começou comprando franquias em alguns mercados, mas depois de uns dois anos decidiu por bem continuar como antes, retirando-se do negócio, algo que os outros varejistas ficaram contentes de ver.

NEM TODOS SOBREVIVEM

Embora a consolidação e a concentração tenham acontecido em muitas áreas do varejo, seria errado supor que todos os maiores varejistas, ou até mesmo a maior parte deles, estejam se saindo bem. A competição feroz tem cobrado a sua parte entre os varejistas que carecem de uma posição sólida no mercado. A Montgomery Ward & Company, uma empresa pioneira no negócio de vendas pelo correio e que já controlara a operação de centenas de lojas de departamentos nos Estados Unidos, foi à falência em 2001. No ano seguinte, a Kmart, que funcionou com sucesso durante décadas como a maior rede de descontos do país, declarou falência.

A sua falência foi em grande parte uma questão de concorrência, não só da Wal-Mart e da Target, mas também do crescimento de operações de "categoria assassina" como o Home Depot, a Toys "R" Us, a Sports Authority, a Circuit City e outros. Isso sem negligenciar o crescimento do *E-commerce* ou comércio eletrônico pela Internet, que será tratado no Capítulo 10. O comércio eletrônico exerceu e continuará exercendo uma enorme pressão no setor de varejo.

A consolidação na área de varejo continuará quase certamente nos próximos anos. Pelo menos cinco grandes cadeias de supermercados devem dominar o negócio de secos e molhados americano nos próximos cinco anos e a Wal-Mart provavelmente continuará tendo a maior participação. Ao mesmo tempo, o grosso do negócio de supermercados provavelmente será dominado por não mais que uma dúzia de fabricantes. Também é certo que a consolidação continuará além das fronteiras nacionais. Grande parte disso acontecerá fora dos Estados Unidos em regiões onde há acordos de livre-comércio, como na Europa e na América Latina. Embora a Royal Ahold, da Holanda, seja o único varejista com uma presença significativa nos Estados Unidos, também podemos esperar a entrada de outros grandes varejistas no mercado americano nos próximos anos.

Pelo menos uma outra noção deve ser observada aqui. Embora os varejistas vendam produtos de empresas de marketing com orçamentos publicitários nacionais, eles próprios tornaram-se grandes anunciantes nacionais. Na relação dos 100 maiores anunciantes nacionais de 2002 do *Advertising Age*, 20 dos líderes eram empresas de varejo, incluindo Sears, JCPenney, Target e Home Depot. Tanto quanto a propaganda de marcas nos Estados Unidos, os varejistas detêm um papel até mais destacado. Conforme indica a Tabela 7.2, quinze das cinqüenta maiores "megamarcas" dos Estados Unidos são marcas de varejo, incluindo cadeias de restaurantes de *fast food*.

Como a consolidação continua na arena de varejo, há uma pequena dúvida sobre se mais anunciantes de varejo entrarão nessa lista. É apenas outra maneira de o varejo mostrar influência no negócio da propaganda e em empresas de marketing que tradicionalmente dominaram o reino das maiores marcas. O aspecto interessante disso para os profissionais de marketing é que o varejo tornou-se uma entidade complexa que desempenha um papel muito maior que o seu tradicional, como o último elo da cadeia de marketing.

Não só os varejistas têm desenvolvido cada vez mais identidades de marca que podem tornar-se mais fortes que as dos fabricantes, como também o próprio estabelecimento de varejo em si — seja ele um supermercado, uma farmácia ou um comércio geral — tornou-se um outro meio de comunicação. Pois ali encontramos um local onde os consumidores podem ser alcançados pelos profissionais de marketing, não só para promover produtos e serviços, mas para vendê-los.

TABELA 7.2 AS 50 MEGAMARCAS, CLASSIFICADAS PELO TOTAL MEDIDO DE GASTOS COM PUBLICIDADE NOS ESTADOS UNIDOS NO PRIMEIRO SEMESTRE DE 2002

CLASSIFICAÇÃO		GASTOS COM PUBLICIDADE				GASTOS PELA MÉDIA								
2002	**2001**	**Megamarca**	**Empresa Matriz**	**Janeiro-Junho 2002**	**Percentual de Mudança a Partir de 2001**	**Revista**	**Revista de Domingo**	**Jornal**	***Outdoor***	**Redes de TV**	**TV Local**	**TV Consor-ciada**	**Rede de TV a Cabo**	**Rádio**
1	**1**	AT&T Tele-commu-nications[a]	AT&T Corp./ AT&T Wireless	$549.744	16,9	$14.628	$845	$213..361	$11.162	$138.693	$48.312	$8.609	$81.683	$32.451
2	**2**	Verizon Telecom-munications	Verizon Commu-nications	515.335	34,7	12.565	311	175.817	8.694	128.422	118.703	12.877	23.808	34.138
3	**3**	Chevrolet veículos	General Motors Corp.	361.773	–4,3	71.531	0	10.798	5.813	142.250	100.934	2.417	23.757	4.274
4	**5**	Ford veículos	Ford Motor Co.	356.093	11,2	73.393	1.162	32.215	3.434	145.793	69.415	3.169	21.662	5.852
5	**7**	Toyota veículos	Toyota Motor Corp.	327.891	14,2	97.497	1.805	20.176	3.449	94.175	79.789	29	30.785	185
6	**4**	McDonald's restaurantes	McDonald's Corp.	285.958	–13,4	7.433	0	568	15.653	145.608	70.762	18.776	23.578	3.581
7	**10**	Honda veículos	Honda Motor Co.	270.460	7,3	38.803	569	19.069	1.942	80.540	94.777	9.824	24.520	416
8	**6**	Sprint teleco-municações	Sprint Corp.	259.429	–9,8	11.636	0	111.909	2.182	86.522	33.139	55	7.563	6.423

TABELA 7.2 AS 50 MEGAMARCAS, CLASSIFICADAS PELO TOTAL MEDIDO DE GASTOS COM PUBLICIDADE NOS ESTADOS UNIDOS NO PRIMEIRO SEMESTRE DE 2002

CLASSIFICAÇÃO		GASTOS COM PUBLICIDADE				GASTOS PELA MÉDIA								
2002	2001	Megamarca	Empresa Matriz	Janeiro-Junho 2002	Percentual de Mudança a Partir de 2001	Revista	Revista de Domingo	Jornal	*Outdoor*	Redes de TV	TV Local	TV Consorciada	Rede de TV a Cabo	Rádio
9	**13**	Cingular Wireless telecomunicações[b]	SBC Communications	259.135	32,0	4.581	0	116.888	5.097	63.741	22.605	7	13.859	32.358
10	**16**	Nissan veículos	Nissan Motor Co.	250.278	47,5	57.467	742	10.366	1.887	86.742	75.792	3.961	11.949	1.372
11	**12**	Sears lojas de departamentos	Sears, Roebuck & Co.	221.831	3,9	7.121	5.784	56.651	142	89.477	12.322	13.110	28.588	8.636
12	**9**	Dodge veículos	Daimler-Chrysler	191.934	–27,9	27.728	0	17.504	2.448	35.807	88.199	489	11.759	8.001
13	**15**	Home Depot lojas de materiais de construção	Home Depot	188.968	6,9	8.689	41	39.176	394	78.974	9.809	1.655	19.915	30.316
14	**21**	Burger King restaurantes[c]	Diageo	179.206	21,3	3.792	0	1.950	2.966	75.256	13.670	35.603	26.298	19.672
15	**14**	Volkswagen veículos	Volkswagen	177.393	–1,2	16.561	0	7.419	411	103.246	32.512	0	9.967	7.277
16	**8**	Chrysler-veículos	Daimler Chrysler	176.344	–35,2	41.217	0	7.002	423	48.332	63.382	478	13.496	2.014

TABELA 7.2 AS 50 MEGAMARCAS, CLASSIFICADAS PELO TOTAL MEDIDO DE GASTOS COM PUBLICIDADE NOS ESTADOS UNIDOS NO PRIMEIRO SEMESTRE DE 2002

CLASSIFICAÇÃO		GASTOS COM PUBLICIDADE				GASTOS PELA MÉDIA								
2002	2001	Megamarca	Empresa Matriz	Janeiro-Junho 2002	Percentual de Mudança a Partir de 2001	Revista	Revista de Domingo	Jornal	*Outdoor*	Redes de TV	TV Local	TV Consorciada	Rede de TV a Cabo	Rádio
17	**17**	Macy's lojas de departamentos	Federated Department Stores	157.346	–3,1	4.410	242	136.731	516	0	15.160	0	0	287
18	**20**	Wal-Mart lojas de descontos	Wal-Mart Stores	152.790	2,6	6.937	3.608	3.644	165	59.580	40.477	7.997	29.379	1.002
19	**18**	Kmart lojas de descontos	Kmart Corp.	151.861	–3,9	11.883	398	59.064	10	43.481	7.323	15.609	6.798	7.297
20	**27**	Budweiser & Bud Light cervejas	Anheuser-Busch Cos.	151.044	19,3	–2.802	0	1.131	5.329	112.180	14.906	353	14.333	10
21	**28**	Visa cartões de crédito	Visa International	144.397	15,6	11.014	0	1.046	2.281	108.475	5.275	1.312	13.886	1.108
22	**31**	Wendy's restaurantes	Wendy's International	140.349	17,8	18.602	0	217	3.420	67.723	16.234	16.307	16.416	1.431
23	**52**	Dell computadores	Dell Computer Corp.	139.621	42,2	20.946	34.956	30.130	3	14.041	1.436	1.174	36.936	0
24	**19**	IBM computadores, programas e serviços	IBM Corp.	139.485	–8,5	23.277	173	37.646	1.123	57.583	136	2.650	16.899	0

TABELA 7.2 AS 50 MEGAMARCAS, CLASSIFICADAS PELO TOTAL MEDIDO DE GASTOS COM PUBLICIDADE NOS ESTADOS UNIDOS NO PRIMEIRO SEMESTRE DE 2002

CLASSIFICAÇÃO		GASTOS COM PUBLICIDADE				GASTOS PELA MÉDIA								
2002	2001	Megamarca	Empresa Matriz	Janeiro-Junho 2002	Percentual de Mudança a Partir de 2001	Revista	Revista de Domingo	Jornal	*Outdoor*	Redes de TV	TV Local	TV Consor-ciada	Rede de TV a Cabo	Rádio
25	**24**	Target lojas de descontos	Target Corp.	138.266	–0,4	21.251	835	46.492	972	47.885	11.993	885	6.529	1.423
26	**35**	JCPenney lojas de departamentos	J.C. Penney Corp.	136.285	17,6	4.769	1.307	45.334	92	57.567	466	534	12.475	13.742
27	**38**	Nike artigos esportivos	Nike	130.330	13,9	42.497	173	446	1.966	70.138	944	454	13.164	550
28	**36**	Lowe's lojas de materiais de construção	Lowe's Cos.	128.405	10,9	6.326	16	24.647	1.048	40.878	29.477	713	18.858	6.442
29	**25**	Mitsubishi veículos	Mitsubishi Motors Corp.	126.803	–2,3	2.652	0	15.122	15	86.114	13.745	1.843	7.313	0
30	**44**	State Farm seguros	State Farm Mutual Auto Insurance Co.	124.225	20,6	25.154	7.200	9.069	4.980	52.670	2.034	3.116	10.903	9.099
31	**82**	Cadillac veículos	General Motors Corp.	123.186	64,0	23.590	0	12.090	697	54.702	19.386	116	12.471	134

TABELA 7.2 AS 50 MEGAMARCAS, CLASSIFICADAS PELO TOTAL MEDIDO DE GASTOS COM PUBLICIDADE NOS ESTADOS UNIDOS NO PRIMEIRO SEMESTRE DE 2002

CLASSIFICAÇÃO		GASTOS COM PUBLICIDADE				GASTOS PELA MÉDIA								
2002	**2001**	**Megamarca**	**Empresa Matriz**	**Janeiro-Junho 2002**	**Percentual de Mudança a Partir de 2001**	**Revista**	**Revista de Domingo**	**Jornal**	***Outdoor***	**Redes de TV**	**TV Local**	**TV Consor-ciada**	**Rede de TV a Cabo**	**Rádio**
32	**43**	Kellogg's cereais e salgados	Kellogg Co.	121.911	18,3	14.022	301	175	23	41.844	8.807	24.939	29.527	2.271
33	**37**	Best Buy lojas de materiais eletrônicos	Best Buy Co.	120.265	5,1	9.515	0	72.711	99	17.693	14.685	0	4.735	829
34	**32**	L'Oreal produtos de beleza	L'Oreal	118.341	0,3	39.559	0	738	964	52.664	383	9.088	14.944	0
35	**11**	Microsoft programas e produtos para computadores	Microsoft Corp.	118.008	–50,8	45.760	846	8.900	1.064	40.532	7.497	0	12.786	624
36	**55**	Jeep veículos	Daimler-Chrysler	117.252	21,7	18.259	0	4.574	15	29.705	55.085	355	9.018	241
37	**23**	American Express serviços financeiros	American Express Co.	115.382	–17,6	8.607	173	9.879	2.474	65.220	2.958	282	24.499	1.290

TABELA 7.2 AS 50 MEGAMARCAS, CLASSIFICADAS PELO TOTAL MEDIDO DE GASTOS COM PUBLICIDADE NOS ESTADOS UNIDOS NO PRIMEIRO SEMESTRE DE 2002

CLASSIFICAÇÃO		GASTOS COM PUBLICIDADE				GASTOS PELA MÉDIA								
2002	2001	Megamarca	Empresa Matriz	Janeiro-Junho 2002	Percentual de Mudança a Partir de 2001	Revista	Revista de Domingo	Jornal	*Outdoor*	Redes de TV	TV Local	TV Consorciada	Rede de TV a Cabo	Rádio
38	**22**	Miller cervejas	SABMiller	114.837	–22,0	5.185	0	427	14.649	67.747	12.595	442	12.854	937
39	**77**	Saturn veículos	General Motors Corp.	112.815	47,8	12.187	0	700	373	69.801	18.101	300	11.300	53
40	**50**	KFC restaurantes	Yum Brands	110.099	10,9	0	0	203	1.044	65.865	30.122	14	12.316	535
41	**51**	Kia veículos	Kia Corp. Motors	109.484	10,8	5.913	0	165	223	51.931	34.174	0	17.037	40
42	**382**	Nexium remédios contra azia e má digestão	Astra Zeneca	109.004	654,2	23.858	3.040	0	0	66.197	271	8.137	5.861	1.639
43	**41**	General Mills cereais	General Mills	107.444	1,4	1.808	0	60	15	36.905	41.296	26	25.718	1.617
44	**48**	Dillard's lojas de departamentos	Dillard's	106.359	6,6	4.367	25	101.392	343	0	94	0	0	137
45	**47**	Mazda veículos	Mazda Motor Corp.	106.273	6,5	258	0	22.883	13	54.569	19.567	21	8.178	785

TABELA 7.2 AS 50 MEGAMARCAS, CLASSIFICADAS PELO TOTAL MEDIDO DE GASTOS COM PUBLICIDADE NOS ESTADOS UNIDOS NO PRIMEIRO SEMESTRE DE 2002

CLASSIFICAÇÃO		GASTOS COM PUBLICIDADE				GASTOS PELA MÉDIA								
2002	**2001**	**Megamarca**	**Empresa Matriz**	**Janeiro-Junho 2002**	**Percentual de Mudança a Partir de 2001**	**Revista**	**Revista de Domingo**	**Jornal**	***Outdoor***	**Redes de TV**	**TV Local**	**TV Consor-ciada**	**Rede de TV a Cabo**	**Rádio**
46	**49**	Acura veículos	Honda Motor Co.	104.556	5,0	31.701	1.162	7.063	9	9.285	43.161	2	12.173	0
47	**86**	Nextel tele-comunicações	Nextel Communi-cations	102.867	38,8	2.674	0	53.604	9.143	20.851	1.252	0	7.782	7.561
48	**79**	Lexus veículos	Toyota Motor Corp.	101.693	33,8	25.476	0	15.358	929	31.581	12.560	0	13.851	1.939
49	**62**	Office of National Drug Control Policy	Governo dos Estados Unidos	99.476	17,7	13.756	3.905	9.441	2.078	51.769	6.224	887	6.574	4.842
50	**66**	Subway restaurantes	Doctor's Associates	98.441	19,5	122	0	207	671	49.773	34.547	4.624	8.455	41

Nota: Em milhares de dólares. A classificação para 2001 representa os dados compilados em 2002. Os números são uma análise do *Ad Age* dos dados da mídia medida pelo Competitive Media Reporting de Taylor Nelson Sofres. Jornal inclui os jornais nacionais; rádio inclui as redes de rádio nacionais locais.

[a] A AT&T Corporation criou a AT&T Wireless, mas as duas são consideradas uma única megamarca porque ambas usam a marca AT&T.

[b] A BellSouth Corporation possui 40 por cento.

[c] A Diageo está vendendo a Burger King para um consórcio liderado pelo Texas Pacific Group.

Fonte: *Advertising Age*, 14 de outubro de 2002, p. S-2.

UMA OUTRA OPINIÃO...

Preço Baixo Não é Ferramenta de Construção de Marca; Repense a Estratégia se o Preço For o Padrão de Valor

PETER MURANE

Conquistar e manter a liderança no mercado com uma estratégia de preços baixos é tão difícil quanto arriscado. Os profissionais de marketing que competem somente com base em descontos e acordos não entendem o papel que o preço deveria desempenhar na proposição de valor global de uma marca. Eles confundem preço baixo com proposição de valor, e se arriscam a transformar o seu produto em uma mercadoria cujo preço mais baixo é o que vence.

Existem muitas empresas bem-sucedidas que "venceram" à base do preço. No seu trajeto para aumentar a receita de 32 bilhões em 1991 para quase 200 bilhões de dólares em 2001, a Wal-Mart Stores aperfeiçoou o modelo empresarial de preço baixo todo dia. Outros varejistas, como a Kmart, tentaram acompanhar os preços baixos da Wal-Mart mas acabaram não conseguindo gerar lucros operacionais sustentáveis. A Wal-Mart é uma das raras empresas que conquistaram uma vantagem competitiva sustentável com uma estratégia de determinação dos preços das mercadorias. Mas a determinação dos preços apenas não é suficiente sozinho para levar uma empresa ao sucesso. A Wal-Mart instituiu uma infra-estrutura de distribuição tão avançada e eficiente que pode arcar com preços menores para os produtos e ainda assim gerar margens saudáveis.

Por mais gloriosa que seja uma história de sucesso como a da Wal-Mart, conquistar e manter a liderança do mercado com uma estratégia de determinação de preços é um exemplo muito perigoso de imitar. Observe o negócio da telefonia de longa distância. Enquanto o uso da longa distância cresceu 50 por cento durante praticamente os últimos dez anos, a guerra de preços da longa distância que a AT&T, a Sprint e a MCI travaram durante a década de 1990 resultou não numa empresa líder da categoria forte, orientada para a marca, mas no mau desempenho financeiro de todas as grandes empresas do setor. O aumento das receitas foi incompatível, e a profusão de taxas continua sendo um problema constante.

Infelizmente, o setor de telecomunicações demorou a aprender com o colapso dos preços de longa distância. Nas comunicações sem fios, por exemplo, toda grande portadora tem perseguido uma estratégia de mais minutos em oferta. Os preços caem como pedras enquanto os minutos se tornam mercadorias e os profissionais de marketing lutam para manter a participação no mercado. No fim, ganha o consumidor e o prestador de serviços é forçado a vender ou mais minutos ou mais serviços para crescer.

UMA EPIDEMIA DE PROMOÇÕES

De maneira semelhante, as promoções das TV a cabo e via satélite são uma epidemia e estão condicionando os consumidores a fazer a assinatura apenas com base nos preços. Em anúncios de jornal e ao ar livre por todo o país, os concorrentes seduzem os assinantes com promessas de instalação grátis, canais grátis e mensalidades com preços mais baixos. Esse método de atuação é resultado de um marketing tão destituído de imaginação que não é de admirar que a dispersão de assinaturas no setor chegue a 30 por cento ao ano. Os consumidores se condicionaram a procurar o negócio mais barato em lugar de argumentos motivadores da retenção do cliente de mais longo prazo como ofertas diferenciadas de produtos ou serviços.

Os profissionais de marketing e os CEOs têm de se conter. Precisa ser lembrado que o preço é apenas um elemento da proposição de valor de uma marca. Por definição, o preço do dia que se torna a definição exclusiva de valor é o dia em que uma categoria torna-se uma mercadoria. A menos que tenham uma estrutura de custo mais baixo, a maioria dos profissionais de marketing que compete só com base no preço simplesmente está sendo preguiçosa e não pode esperar estabelecer uma vantagem sustentável.

CRIANDO PREFERÊNCIA DE MARCA

Existe um meio mais estratégico para atingir os objetivos de vendas e favorecer a valorização acionária, o qual envolve criar a preferência de marca. A construção de uma marca requer criatividade e um horizonte a longo prazo para avaliar o sucesso. Também requer alguns sacrifícios, como perder clientes de pequena margem de lucro que só fazem compras pelo preço. Mas esses sacrifícios compensam no final das contas na forma de clientes dispostos a pagar mais por um diferencial oferecido pela marca.

Por exemplo, está mais do que documentado como a Starbucks Coffee Company aparentemente reinventou a categoria café com base no conceito de café europeu. No entanto, o que a Starbucks realmente fez foi rejuvenescer uma categoria de mercadoria, melhorando o produto e fazendo valer as marcas novamente. Da próxima vez que você pagar 3 dólares por um café fraco, pense em como comprar um pacote de café no supermercado tinha a ver apenas com o preço.

A água engarrafada Evian estabelece outro padrão-ouro de preço de marca. A Evian é a líder mundial em um mercado de água engarrafado em franca expansão. O mercado não está se expandindo por causa de baixos preços (mililitro por mililitro, a Evian é mais cara que a Coca-Cola) mas sim por causa das marcas. A Evian consegue manter a liderança ao mesmo tempo que pratica os preços mais altos da categoria. E essa é uma categoria em que a diferenciação do produto é muito pouco percebida de uma marca de água engarrafada para outra.

Finalmente, um hurra para a Southwest Airlines pela sua compreensão de como a estratégia de preços e a diferenciação de marca apóiam mutuamente as metas comerciais. A Southwest é sinônimo de bom valor, mas a experiência de marca não é necessariamente barata. Existem prestadores de serviços de custo menor que a Southwest, mas poucas linhas aéreas oferecem um valor melhor. Em matéria de preços, propaganda e atendimento ao cliente, a Southwest simplesmente proporciona uma experiência de marca melhor. Não é nenhuma surpresa que a razão preço/lucros da Southwest está acima da média do setor.

Quando o preço de uma marca torna-se a sua medida básica de valor, as categorias correm o risco de tornar-se mercadorias. Como resultado, as margens geralmente declinam. Da próxima vez que você se pegar jogando com os descontos contra os seus concorrentes, pense seriamente em outras maneiras de aumentar o valor da sua marca melhorando o produto, aprimorando os serviços e investindo na boa e velha construção da marca. Quando o preço apenas se torna a medida do seu plano de marketing, está na hora de reavaliar o seu *mix* de marketing.

Peter Murane (peter@brandjuice.com) é presidente da BrandJuice Consulting, de Denver, uma empresa de consultoria de marketing empresarial especializada na construção de marcas diferenciadas. Este texto foi originalmente publicado como um artigo na seção "Ponto de Vista" na edição de 1º de julho de 2002 do Advertising Age.

CAPÍTULO 8

INTEGRAÇÃO: A CHAVE PARA O FUTURO

As Agências Precisam Mostrar que "Mídia Neutra" é Mais do que Conversa Fiada

Com as impressionantes mudanças que aconteceram no setor durante os últimos vinte anos, as agências de propaganda tradicionais perderam demais. Quando o grosso dos gastos com marketing foram para televisão, as agências tiveram um papel claro: fazer pesquisas sobre as audiências de massa, criar comerciais atraentes e colocar esses comerciais nas três redes dos Estados Unidos, ou pelo menos comprar uma faixa selecionada de tempo nas estações de televisão locais. Todo o resto era simplesmente um acréscimo à campanha de televisão básica. Comprar algumas páginas nas revistas nacionais, incluir alguns comerciais de rádio em mercados estrategicamente selecionados e talvez colocar alguns anúncios em outdoors próximos às áreas de trânsito mais intenso. Com respeito aos jornais, dependia dos comerciantes locais decidir se queriam usá-los ou não.

Essa solução simples para a propaganda não existe mais. A televisão não é mais tão dominante quanto antes. Um universo inteiro de canais a cabo e via satélite está hoje disponível aos profissionais de marketing mais eficientes. É preciso dedicar mais tempo à avaliação da escolha da mídia, o que pode influenciar na eficácia de propaganda produzida. Isso é exatamente o que os clientes estão procurando: mais respostas para os seus problemas de marketing. E à parte a proliferação dos sinais de televisão, a cabo e via satélite, houve um crescimento significativo em todas as outras modalidades de marketing — promoção de vendas, marketing direto, patrocínio, isso sem mencionar a Internet.

UM NOVO PAPEL PARA AS AGÊNCIAS?

A questão é: que papel deveria desempenhar uma agência de propaganda nesse novo ambiente de marketing? Uma agência que não se reinventa será relegada ao papel de oferecer só os serviços de propaganda, e não há muito futuro caso essa seja a única atividade que se tem. Esse papel é apenas tático e deve estar sujeito a uma estratégia de marketing determinada por alguma outra entidade, talvez até mesmo um consultor administrativo.

Participando de uma conferência de propaganda em meados de 2002, Steven J. Heyer, então presidente e CEO da Coca-Cola Ventures (e atualmente presidente e diretor de operações da Coca-Cola Company), foi indagado sobre o futuro das agências de propaganda e o valor delas para os clientes. "Talvez nos dias de David Ogilvy e antes dele, as agências fossem o maior parceiro que um CEO poderia ter", ele afirmou. "O negócio de agência durante os últimos 25 ou 30 anos perdeu muito do que era. Deu espaço para empresas de consultoria administrativas, para banqueiros — por uma série de razões. A mais séria foi que [as agências] definiram a sua contribuição muito estreitamente, como propaganda, não como marketing, e como produtoras de um bom produto de criação, não me ajudando a desenvolver uma estratégia que me permita estabelecer a minha posição em uma categoria.

"[As agências] precisam de um vocabulário comum interdisciplinar, e ele não foi criado. Queremos que o pessoal das agências entendam as metas da nossa marca e sejam os nossos parceiros estratégicos. Então precisamos que eles sejam capazes de trabalhar de acordo com, para usar palavras já meio gastas, uma plataforma de mídia integrada. De uma maneira engraçada para mim, ela começa com uma compreensão melhor do plano de mídia que se vincule mais aos pontos de contato com o consumidor do que com idéias criativas."

A opinião de Heyer sobre o papel das agências de propaganda é interessante em função da ampla experiência dele. Ele foi presidente da Young & Rubicam Advertising e também da Turner Broadcasting System. De modo que ele teve a oportunidade de testemunhar o desempenho do marketing do ponto de vista da agência, da mídia e do cliente.

A pergunta foi feita a Heyer porque a Coca-Cola tinha assinado recentemente um contrato de 500 milhões de dólares por onze anos com a National Collegiate Athletic Association e a CBS-TV. As agências de propaganda que representam algumas marcas da Coca-Cola "estão envolvidas como conselheiras no processo, mas a parte do leão do trabalho era realmente interno da Coca-Cola", ele respondeu.

A mim me parece — e a muitos outros do setor — que as agências têm de se ver de uma maneira diferente. As agências costumam falar sobre reposicionar as marcas do cliente. Agora são elas que têm de se reposicionar para assumir papéis mais estratégicos para os clientes. Uma vez que os clientes estão determinados a usar uma variedade de serviços de marketing, o papel ideal de uma agência de propaganda seria o de dirigir e integrar esses serviços em uma estratégia de marketing abrangente para os clientes.

Será que isso já está acontecendo? Na verdade, não, diz Brian Williams, presidente e CEO da Element 79, uma subsidiária do grupo Omnicom em Chicago. "Tem havido algum progresso entre as agências que coordenam vários serviços de marketing, mas isso foi feito apenas no nível da execução" (entrevista pessoal com Williams, em 2 de agosto de 2002). Por exemplo, uma agência tem de executar uma tarefa de propaganda para um cliente mas também se encarrega de coordenar os trabalhos de uma agência de promoção de vendas ou uma de empresa de marketing direto de acordo com a campanha publicitária. Algumas agências já fazem isso.

"A noção de integração é perfeitamente correta", enfatiza Williams, "mas não reflete exatamente o que está sendo feito atualmente. Ninguém está praticando integração estratégica nenhuma." Isso significa começar exatamente do começo de um projeto, determinando as necessidades do cliente e planejando como atender a essas necessidades por meio de todas as atividades que sejam necessárias. Williams tem uma analogia específica e pertinente de como isso deveria ser feito: "Vamos chamá-la de arquitetura estratégica da marca. A agência funciona exatamente da mesma maneira como um arquiteto e um mestre-de-obras encarariam a construção de uma casa. Você começa com uma determinada quantidade de dinheiro do cliente, com a tarefa de planejar uma campanha. Você também tem de começar com uma estratégia de mídia neutra." Isso significa que você não parte do princípio de que a maior parte ou mesmo alguma parte do dinheiro deve ir para a propaganda tradicional — ou nenhuma outra área específica, neste caso.

A agência, agindo como esse "arquiteto" de marketing, determina a melhor estratégia para construir a campanha do cliente. Então terceiriza o trabalho a vários setores, como empresas de criação ou de promoção de vendas, ou especializadas em relações públicas, para executar as etapas da estratégia. A agência não precisa saber executar todas essas várias funções, da mesma maneira que um terceirizado não precisa ser um especialista em encanamento, carpintaria e alvenaria. O fundamental é que o contratante, ou o arquiteto estratégico, tem de saber como todos esses elementos devem funcionar em conjunto. É possível que a agência venha a executar a parte da propaganda em si (da mesma maneira que um contratante especializado em carpintaria faria esse trabalho na casa), mas nem mesmo isso é necessário.

"O que é necessário é que a estratégia não só deva ser neutra do ponto de vista da mídia, mas neutra também no que diz respeito ao lucro", acrescenta Williams. O arquiteto (agência) deveria ser capaz de produzir uma planta que poderia não incluir nenhum elemento de propaganda. Isso é possível? Talvez. Mas seria difícil para uma agência criar um plano que não gerasse um papel para si mesma além da compensação que isso traria. É aí que entra a neutralidade em relação ao lucro. A agência deveria ser remunerada pelo seu trabalho de planejamento, além de a eventual propaganda. Por causa disso, a situação ideal seria aquela em que o arquiteto de marketing não seja a própria agência, mas uma afiliada independente da agência, que possa avaliar e executar um plano contendo muitas modalidades de marketing.

Outro que tem uma analogia diferente mas semelhante relativa ao papel do marketing como integrador é Keith Reinhard, da DDB: "As agências carecem de três elementos para promover a integração. O primeiro é que não há suficiente demanda por parte do cliente pela integração interna. O CEO do cliente diz que quer isso, mas quando você desce dois ou três escalões, a demanda não existe. Na verdade, os clientes estão tão ensilados quanto as agências. O segundo é que carecemos de uma disciplina generalista." As agências deveriam ser como um Leonard Bernstein, acrescenta Reinhard — um maestro que sabe o que todos os instrumentos e vocalistas da orquestra podem fazer, escreve a partitura e rege o conjunto em harmonia. O terceiro fator ainda faltando é um plano de remuneração adequada para os participantes da coreografia dessa campanha integrada.

Seja como um maestro ou um mestre-de-obras, o papel do marketing como a inteligência dominante e integradora poderá ter um lugar cada vez mais importante no mundo futuro da propaganda.

A idéia de Williams de neutralidade em relação ao lucro e o anseio de Reinhard por uma estratégia de remuneração são corroborados por uma observação feita pelo diretor-geral da International Advertising Association e ex-executivo da J. Walter Thompson, Wally O'Brien: "As agências têm tido dificuldade de implementar programas integrados por causa das suas políticas de remuneração. Digamos que um diretor de conta de uma agência de propaganda tenha um determinado orçamento para produzir uma campanha para um cliente. Esse diretor pode direcionar o dinheiro para vários tipos de atividades, como marketing direto ou promoção, mas se o diretor de conta for remunerado apenas com base no sucesso da campanha publicitária, não haverá nenhum incentivo para aplicar muito dinheiro em outras alternativas."

A mesma falta de incentivo existe na situação atual, em que uma agência de propaganda pode estar sob o mesmo guarda-chuva corporativo de uma agência de marketing direto ou agência de promoções. Se a agência de propaganda estiver supervisionando o orçamento do cliente mas a sua única compensação provém dos seus honorários de propaganda, ela tem pouco incentivo para distribuir as verbas pelas suas colegas incorporadas.

MUDANDO AS AGÊNCIAS

Muitas agências dirão que já estão executando serviços de marketing integrado. Contudo, há mais conversa que ação a esse respeito. Mas só conversa já é bom, porque indica uma mudança em relação a uma década atrás, quando as agências de propaganda pregavam que a única maneira para construir uma marca era a propaganda na mídia, e que alguns tipos de promoção poderiam aumentar as vendas a curto prazo mas a longo prazo arranhariam a marca do cliente.

Se está sendo praticada algum tipo de integração neste momento, é mais por parte dos clientes. Mas, mesmo assim, as guerras de rua e as batalhas por remuneração estão sendo travadas nas empresas dos clientes. O gerente de vendas está procurando o apoio da promoção de vendas enquanto o gerente de propaganda tenta aumentar o orçamento de mídia. Esses são os clássicos conflitos internos do cliente.

As agências de propaganda estão bem colocadas para assumir a responsabilidade como integradoras de marketing contanto que respeitem o valioso papel que outras funções podem desempenhar em uma campanha multimodal. A melhor maneira de fazerem isso seria separar a função de integração da função de propaganda e desenvolver um programa de remuneração com base apenas no trabalho de integração. O perigo de não fazer isso é que alguma outra entidade, muito provavelmente uma consultoria de administração com especialização em marketing, ocupe a lacuna.

As agências de propaganda não são as únicas a lutar com o problema da integração. As empresas editoriais e de radiodifusão também têm sido largamente malsucedidas em oferecer pacotes multimídia aos seus clientes. E do mesmo modo que no negócio das agências, é uma questão de remuneração.

Tenho visto tudo quanto é tipo de planos para criar "vendas casadas" de produtos impressos e/ou teletransmitidos fracassar ao longo dos anos. Eis um exemplo típico: Uma publicação de um grupo tem um determinado anunciante que gasta muito dinheiro, normalmente porque aquela publicação é o seu veículo mais eficaz. Então alguém na administração da corporação ou de uma publicação do grupo sugere que a empresa deveria criar uma "compra em grupo", oferecendo ao anunciante um negócio irrecusável, bastando apenas que ele ponha alguns anúncios nas outras publicações. Se a proposta é aceita, o mais comum é o anunciante tirar um pouco de dinheiro da publicação original para ganhar exposição na outra. Uma publicação ganha, mas a outra perde.

Esse não é um bom exemplo de integração porque o editor que publica um anunciante não quer perder nada do seu negócio. Na verdade, se o editor permitir que alguns anunciantes seus passem para outra publicação, reduzirá o faturamento da sua publicação e talvez até mesmo a sua remuneração por desempenho. É responsabilidade da empresa editorial assegurar que um editor seja remunerado por ajudar a canalizar anunciantes para outra publicação.

O mesmo desafio também tem sido enfrentado pelos grandes conglomerados de mídia que são proprietários de empresas de radiodifusão, editorial e gráfica, Internet e outras categorias promocionais. A falta de integração assumidamente foi uma razão para a saída de Robert Pittman do cargo de CEO da AOL Time Warner Inc. em meados de 2002. Pittman foi para a empresa com ótimos antecedentes como um inovador de mídia. Ele foi um dos principais mentores do desenvolvimento de MTV em 1981, e antes disso foi um "menino prodígio" como diretor de um programa de rádio em Chicago. Mas a empresa aparentemente achou muito difícil lidar em nível corporativo com grandes clientes e oferecer-lhes programas abrangentes envolvendo uma grande variedade de mídia. Não há nenhuma dúvida de que o choque interno entre as culturas corporativas entre as direções da AOL e a Time Warner também desempenharam um papel importante na mudança.

A história das empresas de mídia oferece alguns exemplos preciosos nos quais os clientes receberam estratégias de multimídia sob medida. As agências de propaganda dizem que fazem isso, mas bem poderia se revelar que as especialistas em compra de mídia — sejam independentes, sejam de propriedade das agências de propaganda — terão desempenhado um papel fundamental nesse sentido, deixando nada menos que um papel estratégico para as agências de propaganda.

A INTEGRAÇÃO É POSSÍVEL

No que diz respeito à mídia, as empresas fariam um favor a si mesmas observando se vem acontecendo alguma integração entre os níveis editorial e de programação. Por exemplo, nos mercados locais, os jornais trabalham em íntima parceria com as suas estações de rádio ou televisão afiliadas, até mesmo reunindo operações conjuntas na Internet. Internacionalmente, a NBC-TV constituiu um setor de informações que alimenta a sua rede básica, mais a CNBC e a MSNBC. Os mesmos vídeos, repórteres e âncoras podem aparecer em qualquer uma das propriedades da NBC, sejam transmitidos por ar, a cabo, via satélite ou online. A Fox está posicionada para fazer a mesma coisa com a sua rede de TV aberta, canais de notícias e canais esportivos regionais. Se funciona no setor de programação das empresas, há evidências de que poderia funcionar no setor de propaganda.

Nenhuma dessas tentativas de integração, seja no nível de agência, seja no de mídia, terá sucesso a longo prazo a menos que dois elementos necessários estejam presentes:

1. A seleção de serviços ou mídia integrados deve ser benéfica ao cliente e, realmente, tem de produzir melhores resultados do que através de qualquer atual abordagem setorizada.
2. Quem quer que vá fazer a integração deverá ser remunerado por esses serviços, além de qualquer outra remuneração obtida executando as suas tarefas habituais.

Se as agências de propaganda tradicionais e os conglomerados de mídia não forem capazes de solucionar as demandas dos clientes por programas coordenados e integrados, a sua incompetência deixará um vazio para alguma outra entidade se impor no processo de marketing. Isso poderia criar um terreno fértil para as especialistas na compra de mídia na medida em que as especialistas redefinam a mídia incluindo todas as modalidades de marketing, não só a mídia mensurada.

Por outro lado, alguns consultores administrativos também podem se colocar bem ao assumir algumas ou todas as tarefas da integração. Se isso acontecer, ocorreria uma explosão de todas as agências de propaganda. Elas seriam relegadas outra vez a meras prestadoras de serviços de propaganda e isso as colocaria no nível dos executivos de segundo escalão dos clientes enquanto os consultores jogariam golfe com a cúpula administrativa dos clientes.

UMA OUTRA OPINIÃO...

Vamos Corrigir a Propaganda

GRAHAM PHILLIPS

Cada geração de executivos seniores das agências de propaganda e dos clientes depara-se com os próprios desafios. Eu tive o meu quinhão nas décadas de 1980 e de 1990, como presidente e CEO da Ogilvy & Mather e da Y&R Advertising. Mas a necessidade de inovar, em vez de apenas reduzir o número de funcionários e cortar custos, e de renovar a preocupação de obter resultados para os clientes parece mais essencial atualmente do que já foi antes.

O jornal *Advertising Age* informou que os gastos com propaganda nos Estados Unidos caíram 6,5 por cento no último ano em relação aos níveis de 2000. Os analistas do setor disseram que aquele foi o maior declínio anual desde 1938, o ano da Grande Depressão, quando os gastos com propaganda caíram 8 por cento. A causa vai além da recessão atual e da morte das empresas ponto-com. Ela reflete uma fraqueza fundamental no processo da propaganda. Isso pode ser corrigido com uma maior disciplina na criação dos produtos, novas estruturas de trabalho entre a agência e o cliente que dêem mais ênfase à velocidade e à eficiência, esquemas de remuneração que direcionem as agências para produzir grandes idéias que gerem resultados para os clientes e uma solução para o problema da saturação de comerciais na televisão.

CORRIGIR O PRODUTO DA CRIAÇÃO

Uma grande parte da propaganda atual é irrelevante e um desperdício de dinheiro. Dez anos atrás, alguns observadores opinaram que as agências de propaganda pareciam "mais interessadas em vender o seu produto do que o produto do cliente". Desde essa época, a coisa foi de mal a pior. Da próxima vez que você assistir a um comercial de TV, faça as seguintes perguntas simples: Esse comercial contém uma idéia? A idéia é pertinente para vender a mensagem? (Nove entre dez, não são.) A idéia se sustenta? (Pode ser transformada em campanha? Pode ser veiculada durante anos?) Compensa ao espectador assistir ao comercial? O comercial transmite informações úteis? Ele me deixa com uma sensação boa em relação à marca? Poucos comerciais atendem a essas exigências.

O setor precisa recuperar a preocupação em alcançar resultados para os clientes via melhor treinamento e disciplina. O pessoal de criação deveria ser remunerado com base nos resultados que geram para os clientes, não pelos prêmios que ganham. Reúna uma pasta com anúncios que sejam criativos e que geraram resultados e use-a como um modelo e instrumento de treinamento. As agências que produzem grandes anúncios que geram resultados são as mais lucrativas, fecham mais negócios novos e atraem as melhores pessoas. Por que o setor não se preocupa mais em produzir trabalhos que dão resultados?

CORRIGIR O PROCESSO DE CRIAÇÃO

A maioria dos clientes mudou completamente o modo como conduz os seus negócios para melhorar a produtividade, a qualidade do produto, o atendimento ao consumidor e assim sucessivamente. As agências pouco fizeram para mudar a maneira como criam a propaganda. O processo é ineficiente, improdutivo e não leva a uma maior velocidade e a custos mais baixos.

Atualmente, uma equipe formada com pessoal da agência e do cliente desenvolve a estratégia. Depois de uma grande quantidade de tempo e dinheiro gastos, a tarefa é passada para um pequeno grupo de criação. Muitas vezes, esse pessoal também está trabalhando em outros assuntos do cliente e isso pode criar uma situação de gargalo. Normalmente, o resto da equipe da agência e do cliente é excluído do desenvolvimento do trabalho de criação. Como resultado, os primeiros esforços criativos são muitas vezes mais extensos do que o desejado — causando mais atrasos. Por que não manter a equipe inteira e o pessoal do cliente envolvidos na fase de geração de idéias? Quem disse que os mortais comuns não podem propor uma grande idéia de propaganda? Não seria sensato envolver o cliente no processo inteiro de forma que vender o resultado final seria uma conclusão antecipada?

Uma palavra sobre os planejadores: o trabalho deles é destilar enormes quantidades de informações em uma idéia simples que possa levar a uma idéia criativa eficaz. Mas cansei de receber relatórios com centenas de páginas incompreensíveis. Simplificar tornaria os planejadores e o processo de criação mais produtivos.

CORRIGIR A REMUNERAÇÃO DA AGÊNCIA

Muitos clientes me disseram achar que as agências com que trabalhavam recebiam demais pelo pouco que faziam. Essa sensação, combinada a um produto de criação medíocre, explica por que os clientes foram deixando de lado a lealdade em relação às agências. Eu sou favorável à criação de sistemas de bonificação de incentivo com base nos honorários que remunerem convenientemente a agência por uma grande idéia que gere resultados. Talvez essa remuneração funcionasse mais como um pagamento de direitos autorais ao longo da vida da idéia do que como um bônus pago de uma só vez. Uma grande idéia tem um valor enorme. Não deveria esse valor ser pago pelo tempo que a idéia vigorar? Os clientes não invejariam a agência que tivesse lucros significativos em troca de resultados significativos. Não deveria haver nenhum limite para mais de remuneração em função de menores custos de continuidade.

CORRIGIR A SATURAÇÃO DE COMERCIAIS NA TV

Há quase 40 por cento mais comerciais e promoções nas redes de TV atualmente do que dez anos atrás: dezesseis minutos por hora. A TV a cabo pode conter mais de dezoito minutos por hora. Será que não estamos matando a galinha dos ovos de ouro? Vamos nos esforçar mais para fundir o conteúdo dos programas e a propaganda em um formato contínuo. Isso vai precisar da cooperação das emissoras, redatores, produtores e do pessoal de propaganda, mas algo deve ser feito para reduzir o acúmulo da propaganda na TV.

■ ■ ■ ■

A falta de confiança na propaganda como um instrumento de marketing eficaz pode estar contribuindo para o declínio atual. Retomar a preocupação em obter resultados para os clientes e ser mais inovador é o maior conselho para o setor.

Graham Phillips (GrahamP@aol.com) é ex-presidente e CEO da Ogilvy & Mather e da Y&R Advertising. Ele é diretor da Brunswick Corporation e presta serviços de consultoria para várias outras empresas. Este texto foi publicado originalmente como um artigo da seção "Ponto de Vista" da edição de 20 de maio de 2002 do Advertising Age.

CAPÍTULO 9

REINVENTANDO A MÍDIA E OUTRAS VARIAÇÕES SOBRE O TEMA

A Velha Mídia Leva ao Desenvolvimento da Nova Mídia — com Algumas Inovações Tecnológicas

A reunião anual da American Association of Advertising Agencies em 1994 retornou ao Greenbrier depois de ser levada a outros locais durante vários anos. Era para ser uma reunião importante. O orador principal era Edwin L. Artzt, então presidente e CEO da Procter & Gamble. Não existe maior atrativo para uma agência de propaganda do que ouvir uma pessoa que encabeça a maior empresa anunciante do país. Artzt era ainda melhor do que o faturamento que representava. Ele proferiu um discurso que viria a ser discutido na comunidade de propaganda ainda por muitos anos.

O público ouviu atentamente enquanto Artzt advertia de que as agências e a propaganda em si teriam de mudar se quisessem sobreviver ao que ele considerava como o possível futuro do negócio. Eis aqui alguns trechos dos comentários dele:

> O nosso mais importante meio de propaganda — a televisão — está a ponto de sofrer uma grande mudança, e temos uma importância enorme nessas mudanças. De onde nos encontramos hoje não podemos ter certeza de que a programação de TV sustentada na propaganda terá um futuro no mundo que está se criando — um mundo de vídeo por demanda, TV pós-paga e TV por assinatura.
>
> Dentro dos próximos anos — seguramente antes do fim da década — os consumidores poderão escolher entre centenas de espetáculos e filmes pós-pagos. Eles terão dezenas de canais de compras sem sair de casa. Eles passarão horas jogando videogames interativos. E para muitos desses — talvez a maioria — nada de propaganda. (...)
>
> A freqüência e a profundidade da venda na propaganda são decisivas para preservar a lealdade às marcas mais consumidas como as nossas. Por exemplo, em qualquer mês do ano, marcas da P&G como a Tide, a Crest e a Pantene atingirão mais de 90 por cento do seu público-alvo seis ou sete vezes.

> A única maneira de se alcançar esse tipo de impacto é com a televisão de largo alcance, daí por que gastamos quase 90 por cento dos 3 bilhões de dólares do nosso orçamento publicitário em TV e por que simplesmente temos de preservar a nossa capacidade de usar a televisão como o nosso principal meio de propaganda. (...) A mudança mais importante, sem dúvida, é que as pessoas se tornarão mais fiéis à programação do que aos canais. O que isso significa é que podemos deixar de ter acesso a vastos segmentos das nossas audiências porque os espectadores fiéis à programação não ficarão mais sintonizados em um determinado canal. Na verdade, talvez eles nem mesmo permaneçam sintonizados na programação sustentada pela propaganda.
>
> A mudança para a audiência interessada na programação não é nova. Ela começou quando apareceram as primeiras alternativas à redes — as primeiras independentes. E então, enquanto o número de canais de UHF aumentava e entrou em cena a TV a cabo, as pessoas se acostumaram a ficar trocando cada vez mais de canais até achar um a que quisessem assistir. Mas a tendência se acelerou na década de 1980 como resultado de uma simples tecnologia nova — o controle remoto, o *zapper*. E os controles remotos eram apenas o começo. Eles logo serão substituídos por serviços de navegação pela programação que fundamentalmente mudarão o modo como se assiste à TV. (...)
>
> Eis aqui outro pensamento de arrepiar. Existe uma grande possibilidade de que a maioria dos programas a que as pessoas assistem não serão mais sustentados pela propaganda. (...) Agora temos a competição, não só entre a propaganda tradicional, apoiada na mídia, mas de uma programação de comerciais também — entretenimento e informação que representarão uma fonte completamente separada de receita para os fornecedores de mídia e produtores de programas semelhantes.
>
> Essa é uma verdadeira ameaça. Esses fornecedores da nova mídia darão aos consumidores o que eles querem e potencialmente a um preço que eles estão dispostos a pagar. Se as taxas pagas pelos usuários substituírem a receita da propaganda, estaremos em sérias dificuldades.

O discurso de Artzt levou a organização de agências a se unir à Association of National Advertisers para formar a Coalition for Advertising-Supported Information and Entertainment. A missão da organização é pesquisar e alcançar novas alternativas de mídia, mas também obter a participação dos anunciantes na criação e produção da programação.

A coalizão, porém, realizou pouca coisa além do aspecto da pesquisa. A televisão aberta continua perdendo a sua participação na audiência para outros meios de comunicação. A HBO, antes uma mera fornecedora de reprises de filmes, tem desafiado a televisão aberta com séries como *The Sopranos, Sex and the City, Oz* e *Six Feet Under*. Os espetáculos receberam uma aclamação significativa da crítica e também têm atraído audiências maiores. Quando foi ao ar em setembro de 2002, a nova série dos *Sopranos* atraiu mais espectadores que qualquer outro programa das redes transmitido naquele mesmo horário.

Como um serviço por assinatura, a HBO não exibe propaganda. No entanto, o canal a cabo tem 26 milhões de assinantes. São pessoas que poderiam estar assistindo à televisão aberta. Em razão do conteúdo agressivo e adulto desses programas, eles jamais poderiam ser exibidos na televisão aberta, provavelmente nem mesmo em canal a cabo comum.[17] Mesmo que as redes pudessem exibir esse tipo de programação "não familiar", não há a menor dúvida de que a P&G e a grande maioria dos demais anunciantes de âmbito nacional não incluiriam os seus comerciais nela.

Na verdade, a televisão aberta tornou-se tão mais violenta, voltada para o sexo e vulgar, que muitos anunciantes estão retirando as suas mensagens desses programas. Quarenta dos maiores anunciantes formaram uma coalizão, a Family Friendly Programming Forum, e investiram dinheiro na criação de várias séries que eles consideram adequadas para a família inteira assistir (*Electronic Media*, 10 de junho de 2002).

Isso poderá trazer alguns dólares da propaganda para a televisão, mas provavelmente não atrairá aqueles muitos "olhos" adicionais. O setor está enfrentando uma situação em que é mais difícil atrair e prender a atenção da audiência. Por causa disso, idéias de novas mídias estão sendo engendradas.

Embora a "nova mídia" no final da década de 1990 normalmente se referisse a um determinado tipo de aplicação da Internet, grande parte da assim chamada nova mídia provém das empresas de velha mídia com um incremento de tecnologia. O próximo capítulo é dedicado à Internet e outras modalidades de comunicação digital. Este capítulo considera as novas opções de mídia para os anunciantes, algumas das quais combinam duas ou mais tecnologias.

TV COMERCIAL SEM COMERCIAIS?

Um exemplo da fusão de tecnologias é a tecnologia da televisão interativa que vem sendo desenvolvida pela Wink Communications Inc., que foi comprada por uma subsidiária da Liberty Media Corporation em 2002. A empresa licencia a sua tecnologia para 26 programadores, incluindo as redes de transmissão e a cabo, e só está disponível via satélite ou cabo digital.

17. No Brasil, por outro lado, o canal aberto do SBT exibiu sem problemas episódios da série *Oz*. (N. do T.)

Os espectadores que querem a televisão interativa não pagam assinatura pelo serviço, que inclui um decodificador fixo e um aparelho de controle remoto. Se um anunciante fez um acordo com a Wink, quando o seu comercial aparecer na televisão, um ícone da Wink aparece na tela e os espectadores podem clicar nele para iniciar a interatividade. O anunciante pode oferecer amostras grátis, fazer pesquisas, oferecer cupons e assim por diante, para manter os espectadores envolvidos.

Mas essa é apenas uma maneira de usar o serviço. Por exemplo, se aparece um cantor ou cantora num programa de variedades ou entrevistas da televisão, a gravadora tem a oportunidade de vender o CD do artista diretamente aos espectadores que apreciarem a música. Isso nos leva a um passo apenas de distância de algo que seria um passo radical à frente: o casamento da colocação do produto com a interatividade.

Todos temos visto os filmes em que o protagonista bebe uma certa marca de cerveja ou dirige uma determinada marca de automóvel. Seriam essas simplesmente táticas usadas pelo diretor para fazer um filme mais realista, usando produtos reais? Fiz essa pergunta a um conhecido de Hollywood há alguns anos, e ele riu. "Nada entra numa cena de filme por acaso", ele disse. "Tudo está ali segundo um propósito. Ou a empresa pagou pela colocação, ou fez um trato de reciprocidade para promover o filme na sua própria propaganda."

Embora esteja bem estabelecida no cinema, a colocação de produtos não fez grandes incursões pela televisão. A CBS, contudo, conseguiu atrair alguns profissionais de marketing que colocaram os seus produtos em alguns dos assim chamados *reality shows* da rede, incluindo *Survivor* e *The Amazing Race*[18] (*Advertising Age*, 23 de setembro de 2002).

Com a tecnologia da Wink e das outras empresas interativas, os produtores de televisão podem fazer acordos com os anunciantes e incluir produtos e marcas escolhidos nos textos dos programas. Os personagens de *Friends*, por exemplo, poderiam sem problemas reunir-se num café da rede Starbucks em lugar do imaginário Central Perk Café que freqüentam. Esse tipo de publicidade favorável poderia ser mais eficaz do que apenas mais um comercial de televisão.

Há um sentido maior nisso? Em primeiro lugar, poderia estimular o desenvolvimento de toda uma nova geração de programas de televisão sem interrupções comerciais. Provavelmente, seria pouco ético ter anunciantes "furtivos". Todas os produtos incluídos deveriam ser anunciados nos crédi-

18. Programas em que participantes escolhidos participam de competições em situações ao vivo e que rendem bônus. No Brasil, a Rede Globo produziu a série *No Limite*. (N. do T.)

tos de abertura e provavelmente novamente ao final dos programas. Mas essa forma de televisão comercial sem comerciais não é algo irreal. Também não é exatamente o que Edwin Artzt considerou quando discutiu a televisão sem comerciais no encontro da 4As. Na verdade, poderia ser que ele gostasse dessa forma da propaganda não comercial.

Na verdade, os espectadores estariam mais dispostos a sintonizar um programa desses graças à falta de interrupções. Com certeza eles assistiriam pelo menos ao início, em razão do fator novidade. Não estou bem seguro de que alguém fosse sempre sintonizar em outro programa de televisão sempre no mesmo horário para assistir à propaganda.

Essa modalidade de marketing proporciona aos anunciantes alguns benefícios concretos. Os anunciantes economizam os custos de produção dos comerciais, contanto que possam de alguma forma transmitir uma mensagem eficaz simplesmente pela inclusão do produto. Além disso, eles ainda teriam o aspecto adicional da interatividade, permitindo-lhes promover competições, coletar dados dos espectadores e assim por diante.

A noção de envolver os anunciantes no desenvolvimento da programação não é nova. Nos primeiros tempos do rádio, os patrocinadores eram os "donos" dos programas. Muitos anos atrás, trabalhei com um cavalheiro chamado John Hayes Kelly, que fora um gerente de conta de propaganda na década de 1930. John controlava a conta da Studebaker e costumava comentar que era ele quem contratava os artistas para o programa de rádio daquele fabricante de automóveis, aprovava os roteiros e de fato agia como o produtor do programa. (John também dizia que saía em campo com os executivos da Studebaker, fazendo apresentações aos representantes ao redor do país e dando conselho ao pessoal de vendas. Isso foi na época em que a propaganda era uma extensão do setor de vendas, não uma entidade em si mesma.)

A televisão nos seus primórdios também tinha programas patrocinados, como o *Hall of Fame* da Hallmark, no qual o anunciante e a sua agência envolviam-se plenamente na produção do programa. Só quando o custo do tempo de televisão subiu vertiginosamente foi que os anunciantes retiraram-se do patrocínio. As emissoras começaram a comprar os programas das empresas produtoras e vender espaços a diversos anunciantes para um único programa. Esse é o principal motivo para o estado atual de desordem da propaganda na televisão, juntamente com a tendência para comerciais de trinta e quinze segundos e as promoções do canal e o afastamento dos comerciais de sessenta segundos.

UM NOVO INIMIGO: OS GRAVADORES DE VÍDEOS PESSOAIS

O gravador de vídeo pessoal (PVR)[19] não é um meio novo muito embora seja uma nova maneira de os espectadores consumirem um meio antigo. Essa mudança é exatamente com o que Edwin Artzt estava preocupado naquele pronunciamento em 1994.

Usando um PVR, como os do tipo TiVo e ReplayTV, os espectadores da televisão podem programar o seu aparelho para gravar os seus programas favoritos e assisti-los no horário em que lhes seja mais conveniente. Os antigos gravadores de vídeo permitiam aos usuários gravar apenas uma ou duas horas de programação. O PVR pode armazenar até sessenta horas de programas gravados. Eles são na realidade computadores com discos rígidos nos quais a programação é armazenada, um salto tecnológico da gravação em fita dos VCRs, os aparelhos de videocassete. Mais que isso, o PVR pode ser programado para gravar o programa favorito do consumidor toda vez que ele for ao ar. E também podem ser programados para gravar qualquer programa que incluir um ator, uma equipe esportiva ou um passatempo favorito do consumidor, ou outra área de interesse.

Uma vez que os programas são gravados, o espectador pode então pular os comerciais. A vantagem é que o espectador pode ver uma partida de futebol americano profissional em sessenta minutos, em vez das três horas a mais que normalmente leva com todas as mensagens comerciais, intervalos e outras interrupções.

A tecnologia também possibilita ao espectador programar o aparelho para eliminar todos os comerciais, lembrando os medos de Edwin Artzt. Mas também despertou a atenção de todo mundo na cadeia da propaganda. Talvez o crítico mais direto da tecnologia do PVR seja Jamie Kellner, presidente da Turner Broadcasting System, que foi citado na revista *Cable World* como tendo dito que os espectadores que pulam os comerciais estão "roubando" a programação (*Cable World*, 29 de abril de 2002). Kellner afirmou depois que o comentário dele foi mal interpretado e foi citado se explicando: "Antes de prejudicarmos a economia desse setor, que é bastante frágil no aspecto da transmissão em rede (...) antes de o povo americano pensar que tudo vai continuar na mesma se eles não assistirem aos comerciais, todos nós deveríamos entender qual será o preço disso" (*Denver Post*, 16 de julho de 2002).

A preocupação dele é compreensível. Se um número significativo de espectadores bloquear os comerciais, os anunciantes pressionarão a televisão e as redes a cabo para abaixar os seus preços.

---

19. PVR, de *personal video recorder.* (N. do T.)

Se há um ponto positivo para as emissoras, é que as vendas de PVR avançam lentamente; calcula-se que apenas 1 por cento dos lares americanos tenham aparelhos de PVR. Não obstante, esses índices muito provavelmente aumentarão no futuro, dependendo principalmente se haverá queda nos preços dos aparelhos e nas taxas de assinatura mensal. Outro fator é o engarrafamento tecnológico causado em torno do televisor familiar. Uma família que seja uma das primeiras a adotar o sistema já pode ter um decodificador de cabo ou satélite, um antigo videocassete, um toca-disco a laser e um DVD, sem mencionar o aparelho de som e talvez um modem a cabo com teclado sem fios.

Não só o custo do equipamento, mas também as taxas de assinatura mensais reduzirão a velocidade do acréscimo da próxima nova tecnologia, qualquer que venha a ser. Uma família em dia com os avanços tecnológicos, ao examinar os seus gastos mensais com TV a cabo, provedor de Internet, telefones celulares, *pagers*, TV pós-paga e todo o resto, poderia ficar chocada com a soma total.

Uma coisa que as TVs a cabo e satélite mostraram ao mercado foi que é possível ter programação sem comerciais. Uma certa porcentagem do público paga uma taxa de assinatura razoável pela programação sem comerciais. À medida que melhora a qualidade da programação na televisão por assinatura — e se continuar a tendência para a programação mais barata na televisão aberta — é provável que aquela porcentagem aumente. O que está se desenvolvendo é a estratificação de segmentos de mercado entre os que podem e os que não podem pagar pela programação. A pergunta que fica para a TV aberta é: Quanto os anunciantes estarão dispostos a pagar por uma audiência que exclui os consumidores com maior poder de compra?

Sem querer confundir os leitores com as numerosas novas tecnologias, devo mencionar o desenvolvimento do vídeo sob demanda (VOD)[20]. Essa é mais uma opção de aparelho decodificador que vai permitir ao espectador de TV a cabo ver sob encomenda desde filmes até eventos esportivos ou noticiários. Ainda não existe um plano definitivo de custeio para esse serviço, embora provavelmente será oferecido à base de algum tipo de assinatura. A promoção apenas estava começando no final de 2002 e levará meses, senão anos, para determinar se esse sistema terá um lugar de importância na variada coleção de opções de mídia.

---

20. VOD, de *video-on-demand*. No Brasil, está em teste, na Universidade Federal do Rio Grande do Norte, um sistema denominado *DynaVideo* (*Dynamic Video Distribution Service*), por rede privada de computadores. (N. do T.)

AS EDITORAS DIGITALIZAM-SE

A mídia tradicional não demorou muito tempo para reconhecer o potencial da Internet para aumentar o seu produto básico. Poucos anos após a World Wide Web entrar em funcionamento em 1994, milhares de estações de rádio e televisão, editoras de revistas e de jornais, redes de TV a cabo e empresas editoras já estavam montando os seus próprios sites na Internet.

Não queriam cometer os mesmos erros em que as revistas de consumo incorreram cinqüenta anos antes, quando tentaram competir com a televisão em vez de aprender a usá-la em benefício próprio. Também perceberam que possuíam dois bens valiosos que poderiam levar para o novo meio. Tinham conteúdo, que qualquer recém-chegado teria dificuldade de desenvolver, e marcas nacionais ou internacionais.

Digitalizar-se era fácil para as revistas e os jornais (embora muitos relutassem contra a idéia nos primeiros dias da World Wide Web). As publicações eram entidades conhecidas. Tinham bases de leitores leais, boa reputação e um corpo de especialistas na sua área de interesse. Também tinham os seus assinantes, contatos com anunciantes e uma quantidade considerável de conhecimento sobre os seus leitores que poderiam aplicar a um produto da Internet.

Em 2000, uma mudança evolutiva tornara-se evidente. Embora os sites na Internet fossem criados para permitir o acesso e sustentar a imagem do meio de comunicação em si, eles começaram a ganhar vida própria. Os sites Salon.com e Slate.com começaram como "revistas digitais" desde o princípio. Não eram versões para a Internet de publicações existentes.

Gradualmente, entretanto, a mídia tradicional percebeu que as suas entidades na Internet tinham desenvolvido o seu próprio público e uma personalidade própria. As empresas criaram planejamentos próprios, contrataram equipes especiais, fizeram grandes investimentos e se propuseram a criar um novo conceito do que passou a ser conhecido em geral como publicação online. Esse conceito ganhou um *status* mais concreto em meados de 2001, quando foi formada a Online Publishers Association (OPA). Entre os seus principais integrantes incluem-se algumas das melhores marcas conhecidas da mídia: o *New York Times*, a CBS, a ESPN, o *Wall Street Journal*, o *USA Today*, a revista *Forbes* e até mesmo o francês *Le Monde*.

A lista de associados respeitáveis emprestou credibilidade à associação, mas ainda mais à realidade que fora a gênese de um novo meio legítimo. No entanto, esse é ainda um meio jovem e pouco desenvolvido à procura do seu lugar no panorama do marketing. No que concerne aos planejamentos comerciais, parece que cada vez mais editores online buscam estabelecer fórmulas de receita semelhante às das entidades que lhes deram origem, de acordo com Michael Zimbalist, diretor-executivo da OPA:

> A maior parte da mídia, com exceção da televisão aberta, tem um modelo empresarial baseado em uma combinação de propaganda e receitas de circulação. A razão entre a receita de propaganda e a receita de assinaturas é de cerca de três para um, ou 75 por cento de anúncios contra 25 por cento de assinaturas. As publicações online ainda não chegaram a esse ponto no que se refere ao pagamento pelo conteúdo online. Apenas cerca de 9 por cento das receitas das publicações online provêm do pagamento pelo conteúdo, mas essa quantia está aumentando e esperamos que acabe muito próximo do índice da mídia tradicional (entrevista pessoal com Zimbalist, 14 de agosto de 2002).

De acordo com uma pesquisa da OPA conduzida pela comScore Networks, o mercado total de conteúdo online em 2001 foi 675 milhões de dólares. (Isso não inclui os sites voltados para a exploração do sexo e de jogos.) Na primeira metade de 2002, a quantia aumentou 155 por cento em relação ao ano anterior, indicando talvez que esse se tornará um mercado considerável. A área que parece deter o maior potencial de crescimento de receitas online é a de conteúdo de negócios, que representa quase 32 por cento de todas as receitas de conteúdo online. Os conteúdos de entretenimento e estilo de vida são os seguintes na fila, com quase 17 por cento.[21]

A Tabela 9.1 mostra os 25 sites da Internet por receita mais alta de conteúdo. As quantias realmente pagas em dólar não foram informadas.

Em termos de geração de receita, o site da Internet classificado em primeiro lugar é o real.com, que tem o maior público consumidor e oferece uma vasta gama de jogos, música e outras opções de entretenimento. O campeão entre sites por assinatura paga é o do *Wall Street Journal*, wsj.com, que teve mais de 650.000 assinantes pagos a partir de meados de 2002. Conforme estimativa da OPA, 1.700 sites cobram pelo conteúdo online, mas 97 por cento do dinheiro gasto em conteúdo vai para os maiores 100 sites.

Desde que a publicação online começou, no final da década de 1990, um dos temas mais repetidos era: "Todo mundo está na Internet, mas ninguém está ganhando dinheiro com ela". Essa afirmação provavelmente será contestada a curto prazo. Os que oferecem informações de valor e cultivam leitores igualmente de valor serão capazes de ganhar dinheiro tanto na assinatura quanto nos aspectos propagandísticos do negócio. No setor de revistas, podem ser precisos cinco ou dez anos para uma publicação tornar-se lucrativa. É bem possível que essa mesma regra se aplique às publicações da Internet.

---

21. Segundo os dados disponíveis das mesmas fontes, no primeiro semestre de 2003 foram gastos 748 milhões de dólares em conteúdo *online*; isso representou um aumento de 23 por cento sobre o mesmo período de 2002, cujo faturamento no período foi de 609 milhões (contra 264 milhões em igual período de 2001). (N. do T.)

TABELA 9.1 OS 25 MAIORES SITES DA INTERNET, CLASSIFICADOS POR RECEITA DO CONTEÚDO PAGO

Posição	Domínio	Categoria do Conteúdo
1	real.com	Entretenimento/estilos de vida; jogos
2	wsj.com	Negócios
3	match.com	Pessoais/encontros
4	yahoo.com	Pessoais/encontros; negócios; esportes; pesquisa; entretenimento/estilos de vida
5	consumerreports.org	Pesquisa
6	ancestry.com	Guias de comunidades
7	weightwatchers.com	Crescimento pessoal
8	1800ussearch.com	Pesquisa
9	matchmaker.com	Pessoais/encontros
10	consumerinfo.com	Ajuda de crédito
11	lee.org	Negócios
12	classmates.com	Guias de comunidades
13	playboy.com	Entretenimento/estilos de vida
14	thestreet.com	Negócios
15	msn.com	Jogos
16	kiss.com	Pessoais/encontros
17	espn.go.com	Esportes
18	carfax.com	Pesquisa
19	hallmark.com	Cartões de felicitações
20	bluemountain.com	Cartões de felicitações
21	arttoday.com	Negócios
22	britannica.com	Pesquisa
23	elibray.com	Pesquisa
24	changewave.com	Negócios
25	smartmoney.com	Negócios

*Estima-se que 1.700 sites cobrem pelo conteúdo online.
*50 sites ficam com 85 por cento do dinheiro gasto em conteúdo online.
*100 sites ficam com 97 por cento do dinheiro gasto em conteúdo online.

Fonte: Com base na pesquisa da comScore/OPA. Copyright © 2002 Online Publishers Association (OPA).

PUBLICAÇÕES MULTIMÍDIA

O desenvolvimento de tecnologias digitais também pode proporcionar às editoras uma nova maneira de chegar até os leitores. Um dessas tecnologias é factível pelo uso de arquivos em formato PDF *(portable document format)*.

Sem nos tornarmos muito técnicos (porque eu não entenderia do assunto), praticamente todas as revistas e jornais são digitados ou compostos e formatados eletronicamente. Esses arquivos eletrônicos costumam ser enviados diretamente para as impressoras, que os transformam em chapas de impressão e que acabam produzindo as publicações que lemos em papel.

Entretanto, esses mesmos arquivos eletrônicos também podem ser enviados via e-mail para um assinante ou incluídos em um site da Internet. E eles podem ser lidos por meio do software básico Adobe Acrobat, que é oferecido de graça aos usuários. Os leitores podem virar as páginas, exatamente como fariam ao ler uma revista. Eles também podem aumentar ou condensar uma página, ver uma página de cada vez, ou ver as páginas duplas. Talvez o mais importante para os editores é que os leitores possam ver toda a propaganda da publicação.

Parece ótimo, mas há alguns obstáculos a serem superados. Talvez a pergunta mais freqüentemente enunciada no meio editorial nos últimos cinco anos seja: "Mas quem quer ler uma revista no computador?" É claro que ler no computador não é assim tão prático, embora tenha se tornado menos incômodo agora que os *notebooks*, os computadores portáteis, estão mais leves e as telas tornaram-se mais nítidas.

Com relação a essa pergunta, eu diria que nos acostumamos a ler uma porção de coisas no computador, no mínimo entre elas os bilhões de e-mails que circulam todos os dias. Muitos de nós nos acostumamos a fazer pesquisas na Internet, talvez não lendo por prazer, mas certamente para obter informações, para nos inteirarmos de notícias, para obter algum tipo de orientação. Na verdade, já estamos lendo no computador.

Vamos acrescentar mais algumas características à versão PDF de uma revista. Imagine que você possa usar a função de busca, de modo que, quando receber a publicação, poderá digitar o nome da sua empresa ou o nome de uma empresa concorrente, e ver se eles são mencionados na publicação. Isso é bem prático quando você quer encontrar algo imediatamente. Também imagine que, graças à magia do mundo digital, você poderia incorporar a opção de áudio ao arquivo. Caso haja um artigo sobre uma entrevista com uma pessoa, você pode clicar em um ícone e ouvir alguns segundos da fala da pessoa. Isso propiciaria ao leitor fazer uma avaliação bem melhor da pessoa.

Também imagine que você possa embutir a opção de vídeo na revista. Esse seria um forte instrumento editorial pelo qual você poderia demonstrar como se faz um produto. Mais que isso, a tecnologia poderia ser usada por um anunciante. Um leitor poderia clicar em um anúncio de página inteira e ver o comercial do anunciante para a televisão ali no próprio computador. Não precisaria ser um comercial exatamente. Poderia ser uma apresentação de PowerPoint, que proporciona ao leitor uma visão mais detalhada de um produto anunciado. Junto com isso, é claro, todo anúncio ofereceria um *hyperlink* levando ao site do anunciante. Uma barra de ferramentas ao fundo da página poderia convidar os leitores a comprar um produto, solicitar um telefonema de um vendedor, pedir que sejam enviadas informações por e-mail ou pelo correio, ou ir para algum tipo de jogo.

Todo artigo assinado poderia ter um hiperlink para o seu redator. Também haveria um hiperlink para o editor e outro para o diretor de circulação, para o caso de o leitor estar tendo problemas com a assinatura ou querer enviar uma assinatura de presente a outra pessoa.

A grande vantagem sobre toda essa fantasia é que não é nenhuma fantasia. É real; isso já existe e tem uma excelente possibilidade de crescer nos próximos anos. Mesmo sem toda a interatividade descrita acima, são muitas as vantagens de uma publicação eletrônica e todos se beneficiam:

— O *leitor* que adquire tem acesso imediato à publicação sem esperar pela entrega da versão impressa pelo entregador ou pelo correio. O acesso pode ser em casa, no escritório ou em qualquer outro lugar que o leitor queira, desde que tenha um computador à disposição. O leitor também pode arquivar a publicação se desejar e se tiver memória suficiente no computador para armazenar os arquivos digitais.

— A *editora* pode eliminar três importantes elementos do custo indireto, com papel, impressão e postagem. As assinaturas são vendidas, renovadas e distribuídas pela Internet. A edição enviada eletronicamente é exatamente igual à versão impressa, de modo que não há nenhum custo adicional de produção. Mas a maior vantagem para a editora é que os mesmos anúncios aparecem tanto na versão PDF como na versão impressa. A editora não precisa se preocupar se uma versão eletrônica sem propaganda canibalizaria as assinaturas da versão impressa. Mais que isso, a editora poderia cobrar mais pela propaganda, graças às vantagens interativas da versão em PDF.

— O *anunciante* se beneficia porque pode implementar uma campanha de comunicação multimodal. Pode explicar e expor o produto de modo mais eficaz. E com a interatividade, o leitor pode fazer um pedido sem dificuldades, pedir mais informações ou solicitar um telefonema de um vendedor. Tudo isso pode ser obtido sem que o leitor precise usar o telefone ou pôr uma carta no correio.

— Até mesmo a *sociedade* se beneficia, porque as publicações eletrônicas não requerem o corte de árvores ou o uso de diversos agentes químicos necessários no processo de impressão. Mais que isso, a publicação eletrônica não produz detritos de papel usado que devam ser incinerados ou ser transferidos para depósitos de lixo. As organizações ambientais aprovariam essa forma de publicação.

Então por que todo o mundo ainda não edita publicações eletronicamente? Por diversas razões. A primeira é que a maioria dos anunciantes ainda não cria campanhas publicitárias para esse novo meio. Conforme demonstrado anteriormente, o desafio da integração ainda não foi superado. Será preciso mais tempo e mais experiência.

Também existe um problema com a aceitação do leitor pelo fato de que é preciso ter uma quantidade respeitável de memória de computador e velocidade de acesso suficiente para carregar esses arquivos em uma quantidade razoável de tempo. A publicação digital funciona muito melhor em banda larga do que com as linhas telefônicas convencionais. A tecnologia está avançando, o que poderá trazer a solução a esse problema.

Se pareço um entusiasta dessa tecnologia, provavelmente é porque fui um dos primeiros a participar quando o *Ad Age Global* (então *Advertising Age International)* foi convidado a servir como *beta test* para uma nova tecnologia interativa de PDF em 2000. A empresa que produz as versões interativas, Qiosk.com (hoje qMags.com), pediu-nos para ser cobaias dessa tecnologia assim como do plano de negócios.

Tivemos um problema específico com a nossa publicação para a qual a distribuição em PDF era uma solução excelente. Uma vez que metade ou mais da circulação do *Ad Age Global* ocorria fora dos Estados Unidos, a distribuição em locais distantes mostrou-se muito incompatível. Os assinantes em alguns países podiam ter de esperar de dez a catorze dias para receber a sua versão impressa. A oportunidade de recebê-la no dia de publicação seria uma melhora notável. A possibilidade de evitar os custos de postagem cada vez mais majorados era igualmente importante.

Desde aquela época, a recessão da propaganda de 2001 e 2002 fez a nossa empresa suspender a versão impressa do *Ad Age Global*, mas a publicação ainda subsiste em formato digital. A partir dessa experiência, outras empresas entraram no campo de publicação digital, com destaque para a Zinio Systems Inc. e a Newsstand, Inc.

Até o final de 2002, cerca de duas dúzias de revistas e jornais, incluindo o *New York Times* e o *Boston Globe*, já ofereciam assinaturas em versão PDF, idêntica à sua versão impressa. Isso não significa que essa tecnologia em especial durará para sempre, ou mesmo até os próximos dois anos. A tecnologia vem mudando rápido demais para que se possa fazer esse tipo de predição.

De uma coisa nós sabemos: bom desempenho da assinatura em PDF já é uma realidade, mas a interatividade que está disponível não tem atraído muito a atenção dos anunciantes até o momento. Pode bem ser o caso de que a pressão para empregar essa tecnologia terá de acabar vindo de clientes que percebam o potencial de marketing que essa mídia pode proporcionar. Talvez o seu tempo ainda não tenha chegado.

TELEVISÃO INTERATIVA

Durante anos, os observadores têm predito que a televisão interativa — a combinação de televisão a cabo e Internet — será a onda do futuro. Embora esse casamento de mídia tenha feito apenas incursões secundárias até o momento, há indicações de que poderá crescer muito mais rapidamente no futuro. Esse não é estritamente um meio novo, mas uma combinação de dois tipos de mídia estabelecidos que podem mudar a maneira como consumimos a mídia.

Não foi a tecnologia que sustentou a expansão da televisão interativa, mas sim a dificuldade de compor um acordo definido entre os provedores da Internet e as operadoras de cabo. No final de 2002, uma transação complexa estava em discussão entre a AOL Time Warner e a Comcast Corporation que poderia impulsionar rapidamente a idéia. À época, a Comcast estava no processo de adquirir as operações de cabo da AT&T.

O objetivo da transação era dar à AOL o direito de oferecer acesso à Internet a uma parte dos assinantes da Comcast pela conexão de banda larga da empresa de cabo. Isso criaria uma confrontação de mídia de proporções épicas então, envolvendo os serviços de Internet da AOL contra os serviços do MSN da Microsoft Corporation, o segundo maior provedor de serviços da Internet do país.

Pelo menos dois aspectos de acesso à Internet por banda larga são importantes para os usuários. O aspecto básico é que ele proporciona aos usuários da Internet um tempo de resposta muito mais rápido do que em uma ligação a cabo, ao contrário de uma linha telefônica convencional ou mesmo DSL. Um provedor de serviços da Internet que oferecesse um tempo de resposta significativamente mais rápido teria uma vantagem na venda de assinaturas em relação aos provedores que não tivessem a mesma velocidade da banda larga. Essa parte do casamento do cabo com o computador já está avançando rapidamente enquanto as empresas de cabo lançam campanhas para os seus clientes trocarem as linhas telefônicas pela banda larga. Mas esse é apenas o primeiro passo na fusão do cabo com a Internet.

O próximo passo seria permitir que os usuários pudessem assistir à TV a cabo enquanto estivessem na Internet. Nem sequer esse conceito é assim tão novo. Uma empresa empreendedora chamada WebTV Networks Inc. introduziu uma tecnologia com essa capacidade em 1996. Ela permitia aos usuários da TV a cabo o acesso à Internet por meio de um dispositivo de controle remoto ou um teclado sem fios. Um ano depois, a Microsoft adquiriu a empresa e fundiu-a na operação de TV do seu MSN. (O aplicativo da Wink Communications mencionado anteriormente também é uma variação dessa modalidade de televisão interativa.)

A conexão simultânea cabo-computador oferece aos consumidores, programadores e anunciantes a comunicação de duas vias em tempo real. As implicações quanto à programação poderiam ser impressionantes. A interatividade poderia fazer parte da programação assim como da propaganda. Os usuários poderiam assistir a uma encenação de um julgamento criminal na televisão e votar pela absolvição ou condenação do réu como se fossem integrantes do júri. Ninguém, incluindo os produtores, saberia até os momentos finais qual seria o resultado do julgamento.

Os espectadores também poderiam atuar como críticos de televisão, aprovando ou reprovando peças-piloto de séries propostas. (Isso provavelmente deixaria os executivos de programação enlouquecidos.) Considerando a importância política que os analistas têm dado às pesquisas de intenção de voto entre os eleitores nos últimos anos, esse método de avaliar a reação do público também poderia afetar decisões tomadas e posições assumidas pelos líderes do governo.

Como acontece com outras modalidades de interatividade, os anunciantes também poderiam ser capazes de prospectar entre o público espectador as suas opiniões sobre novos produtos, determinar a eficácia de comerciais, ou usar a tecnologia para determinar os líderes de vendas ou mesmo até vender produtos aos espectadores. Grande parte do planejamento para essa interatividade, porém, parece remontar a duas antigas funções conhecidas — a faculdade de conversar na Internet enquanto um programa estiver no ar ou a possibilidade de os espectadores participarem de jogos, ou até mesmo arriscar a sorte em um cassino virtual, sujeito a restrições legais.

ESTAMOS INDO RÁPIDO DEMAIS?

Enquanto as telecomunicações entram em outra fase do seu curso rapidamente mutante, é cada vez maior a discussão em torno da noção de irradiar propaganda para os telefones celulares dos consumidores e assistentes digitais pessoais (PDAs, de *personal digital assistants*). Supõe-se que essa se torne mais assídua à medida que os avanços tecnológicos melhoram a qualidade das telinhas desses dispositivos.

Você pode me incluir entre os céticos em relação a esse novo meio proposto. Se os consumidores odeiam as ligações de telemarketing em casa e no trabalho, então irão menosprezar definitivamente receber ligações indesejadas nos seus telefones celulares. Quem quer ser interrompido por uma mensagem publicitária quando estiver almoçando com um cliente ou no carro, levando as crianças para a escola?

Entre as idéias aventadas incluía a de um restaurante poder fazer ligações automatizadas no final da manhã, convidando a pessoa a parar para o almoço ou até mesmo oferecendo um preço especial para aquele dia. Outra idéia incluía uma tecnologia capaz de permitir a um varejista enviar uma mensagem automaticamente a qualquer pessoa caminhando próximo da loja, oferecendo descontos em mercadorias.

Como acontece com qualquer meio de propaganda, tende a haver um fator de curiosidade que poderia atrair uma resposta a qualquer tipo de novo aparelho de comunicação. Mas qualquer executivo que começar a receber de cinco a seis ligações de propaganda por dia no seu telefone celular, *pager* ou PDA vai mudar de provedor ou desligar o aparelho.

UM FLUXO SEM FIM DE NOVOS MEIOS DE COMUNICAÇÃO

Nem toda nova mídia baseia-se em avanços tecnológicos. Algumas modalidades do que chamamos de nova mídia são simplesmente novos locais para os anunciantes colocarem as suas mensagens de marketing. Ou podem ser lugares novos para os antigos veículos de mídia. Há muitos exemplos disso, incluindo noticiosos em vídeo patrocinados em elevadores de arranha-céus, comerciais em vídeo em pequenas telas montadas em bombas de gasolina e a propaganda em espaços de escolas públicas como ginásios, ônibus e corredores. Você recebe a mensagem enquanto vai para o trabalho ou para a sala de aula.

A propaganda em painéis de táxis não é nem um pouco nova. Os tradicionais táxis londrinos há anos são revestidos de propaganda. Mas em 2000, uma empresa oferecia aos motoristas de Los Angeles 350 dólares por mês se eles concordassem em decorar os seus automóveis particulares com anúncios de produtos (*American Demographics*, outubro de 2000). Em 2002, uma empresa chamada Airport Media Inc. atraiu grandes anunciantes que queriam ter a sua propaganda nos veículos de transporte de passageiros no embarque e desembarque que circulam continuamente pelos aeroportos. Os anunciantes visavam aos viajantes freqüentes.

Uma empresa de Orlando, Flórida, chamada Entry Media Inc. promoveu um meio chamado Anúncio de Manga de Catraca[22]. Essas mangas cobriam os braços das catracas da entrada dos estádios esportivos e atraíram anunciantes como a Coca-Cola, Compaq Computer e Verizon Wireless. A propaganda de manga foi vendida em muitos locais, incluindo o Yankee Stadium de Nova York e o Wrigley Field em Chicago (Entrymedia.com).

Durante o curto período em que era moda entre os jogadores profissionais de basquete rasparem o cabelo com desenhos e mensagens no cabelo, a British Knights Inc., fabricante de calçados esportivos, concluiu que esse poderia ser um novo meio. A empresa pagava 50 dólares aos mensageiros de bicicleta de Nova York para esculpir o logotipo da sua marca no cabelo.

Mais ou menos na mesma época, a Fila USA e a varejista de calçados Foot Locker se uniram para colocar 625 tabelas de basquete nos parques da cidade de Nova York. As tabelas exibiam uma mensagem incentivando os estudantes a não saírem da escola, mas também exibiam os logotipos dos dois anunciantes.

Em Viena, mais de 1.500 bicicletas foram postas nas ruas da cidade em 2002 para qualquer um usar de graça. A única condição era que as bicicletas levassem os nomes de anunciantes, com as empresas de telefones Nokia e T-Mobile entre os primeiros clientes. Os custos para os anunciantes: 43 dólares por mês por bicicleta durante o primeiro mês, baixando para 29 nos meses subseqüentes (*Daily World Wire*, 31 de agosto de 2002).

A Sony Erickson Communications Mobile Ltd. queria atrair um pouco de atenção para os seus telefones móveis que também podiam tirar fotos. Para tanto, a empresa contratou sessenta atores e atrizes para desempenhar papéis em um esquema de "marketing de guerrilha". Os atores freqüentavam pontos turísticos, bares e outros locais. Eles pediam aos transeuntes que aparentassem ser clientes em potencial para tirar uma foto sua com o telefone-câmara. Ou então o telefone podia tocar enquanto o ator estivesse no meio de um grupo de pessoas em um bar. O ator atenderia ao telefone ao mesmo tempo que exibiria a imagem do seu interlocutor na tela do telefone. Esse foi um meio para provocar interesse pelo produto, e teve o seu preço: 5 milhões de dólares para uma campanha de sessenta dias (*Wall Street Journal*, 31 de julho de 2002).

Na Dinamarca, uma agência de mídia de marketing chamada Nymedie ofereceu aos novos pais carrinhos de bebê grátis decorados com mensagens publicitárias. Os pais poderiam escolher diversos estilos de carrinho oferecidos no site da empresa na Internet e usá-los de graça durante dois anos e

22. No original, Turnstile AdSleeves. (N. do T.)

meio. Entre os primeiros anunciantes incluíam-se um banco, um varejista de moda e o fabricante de brinquedos Lego (*Daily World Wire*, 10 de agosto de 2002).

Como você pode ver, não faltam idéias sobre como atingir os consumidores em um ambiente de saturação de propaganda e proliferação de mídia. Nada parece estar fora dos limites como um meio para a propaganda. Isso é bom para a propaganda? Eu acho que não.

UMA OUTRA OPINIÃO...

Novas Idéias sobre Entretenimento

RANDALL ROTHENBERG

O argumento antes era que a propaganda podia entreter mas também teria de vender. Hoje parece que a propaganda não é só entretenimento mas mescla-se ao panorama do entretenimento em si como os profissionais de marketing afluem para colocações de produto e "filmes" carregados de arte publicitária e pagam para ter as suas marcas inscritas nos enredos dos shows de TV. Isso é mais do que simplesmente uma nova adaptação dos velhos patrocínios do tipo "trazido para você por" que eram comuns quando a TV e o rádio estavam na infância. É uma mudança profunda que chegou para ficar. E é em grande parte uma mudança positiva, contanto que os profissionais de marketing se lembrem de um princípio fundamental: uma mensagem de marca não deve sobrepujar ou ditar o conteúdo.

O fenômeno Madison & Vine figurou em nada menos que três matérias do *Ad Age* só na semana passada. Hal Riney, o homem que ajudou a redefinir a propaganda com o seu estilo exclusivo de comercial de TV, declarou que o spot de trinta segundos estava morto. O anunciante número dois do país, a Procter & Gamble Company, negociou colocações de produto como parte do seu pacto de multimídia de 350 milhões de dólares com a Viacom Plus. E a TiVo, o serviço que permite pular a propaganda, que tem tudo para fazer toda a Madison Avenue olhar sobre o ombro nervosamente, está fazendo experiências com anúncios e promoções mais longos, apostando que os espectadores escolherão ver o conteúdo da propaganda se ela for tão interessante como a programação.

Fazer as pessoas assistirem aos anúncios é uma coisa. Ter certeza de que eles continuem se distinguindo como anúncios é outra. Os espectadores têm bom senso suficiente para saber por que os participantes de *Survivor* ganharam como prêmio jipes Pontiac Azteks em vez de Range Rovers. Incluir os produtos da Revlon no roteiro de *All My Children* ou a Federal Express no *Cast Away* empresta verossimilhança à intriga; mas subterfúgios, como fazer Barbara Walters gemer de prazer por causa de uma sopa Campbell's em *The View*, podem produzir um efeito inesperado ou indesejado para o anunciante e o programa que lança o produto.

Shows de notícias, em especial, não deveriam ser um local adequado para a colocação de um produto; esse procedimento degrada a credibilidade do programa e termina por afastar os espectadores, que acabam mudando de canal. Afinal de contas, isso é entretenimento.

O jornalista e escritor Randall Rothenberg é o diretor de capital intelectual da consultoria de negócios Booz Allen Hamilton. Este texto foi publicado originalmente como um artigo na edição de 24 de junho de 2002 do jornal Advertising Age.

CAPÍTULO 10

A INTERNET COMO AGENTE DE MUDANÇA

Reinventando a Maneira como nos Comunicamos, Compramos, Vendemos, Investimos, Namoramos, Enviamos Cartões de Felicitações e Marcamos uma Viagem

Não é um exagero declarar que a Internet é o novo meio mais revolucionário a ser desenvolvido desde o surgimento da televisão no final das décadas de 1940 e 1950. Até o momento, ela não tem sido tão eficaz como um meio de propaganda como a televisão, mas a sua adaptabilidade multidimensional substitui aquela como nenhum outro meio.

Escrever um livro sobre a influência da Internet sobre a propaganda é difícil. Uma razão é que a Internet e a tecnologia dos computadores em geral estão em constante e rápida mudança. Se um escritor, em um dado momento, dissesse: "Este é o ponto a que chegamos", até o instante em que o livro fosse publicado já teríamos ultrapassado uma série de novos limiares. Para complicar ainda mais a situação existe uma lacuna contínua entre o que é tecnologicamente possível e aquilo em que a maioria das empresas ou consumidores estão dispostos a investir. A compressão dos avanços tecnológicos dificultaram as tentativas da administração de muitas empresas para manter-se atualizada. Por exemplo, conforme relatei no capítulo anterior, as editoras já têm a tecnologia para atender aos assinantes com edições em formato PDF, incluindo interatividade total tanto editorial quanto publicitária, assim como habilitando o potencial auditivo e de vídeo. Apenas o retraimento dos anunciantes e dos consumidores foi o que retardou a ampla implementação dessa tecnologia.

Isso me faz lembrar de uma conferência de que participei alguns anos atrás, nos primeiros dias da Internet. A conferência visava explicar como uma empresa poderia criar uma *home page* e marcar presença na Internet. Um painel incluía três ou quatro oradores que já haviam dado um grande passo nas suas empresas. Uma participante explicou como ela e a sua equipe, organizada especialmente na ocasião para se dedicar à Internet, haviam recebido pouco apoio da administração. Eles tiveram de surripiar equipamento de diversas fontes e investir muitos esforços à própria custa porque a empresa não estava convencida do potencial da Internet como um instrumento para os negócios. Apesar disso, a mulher fora incluída no painel porque o grupo dela foram bem-sucedido na sua missão. Depois de semanas de trabalho, o grupo tinha estabelecido a primeira *home page* para a sua empresa, a IBM.

Considerando que este é um livro sobre o futuro, este capítulo tentará mostrar não só o que a Internet fez, mas também o que tem possibilidade de fazer. Vou me limitar ao estado atual de desenvolvimento do setor, embora uma discussão sobre o futuro tenha de presumir o crescimento da disponibilidade da banda larga e o aumento contínuo de espaço de memória nos chips de computador.

A FALHA DO MARKETING TECNOLÓGICO

Sinto-me obrigado a mencionar um perigoso desencontro entre a tecnologia e o marketing. Há uma distância enorme entre desenvolver uma nova e maravilhosa tecnologia e achar um mercado para essa tecnologia. Esse fenômeno é evidente há muitos anos. Sou capaz de localizá-lo até pelo menos a minha mocidade e a introdução da caneta esferográfica. (Sim, eu sou velho assim.) Até então, tínhamos apenas a pena e a tinta. Assim, quando foram introduzidas as primeiras versões revolucionárias da caneta esferográfica, depois de Segunda Guerra Mundial, uma empresa promoveu o seu produto como sendo capaz de escrever até embaixo da água. As primeiras canetas custavam dez vezes mais que uma caneta-tinteiro, portanto era necessário enfatizar as diferenças. No entanto, não existia na época nenhuma pesquisa identificando um número significativo de pessoas interessadas em escrever embaixo da água. Isso foi muito antes de o equipamento de mergulho autônomo ter sido desenvolvido.

O mais engraçado é que, embora as canetas esferográficas realmente fossem capazes de escrever embaixo da água, o que as primeiras versões não eram capazes de fazer muito bem era escrever no ambiente pressurizado da cabina de um avião. Essa deficiência acabou sendo detectada e superada pelo fabricante, e as canetas esferográficas se tornaram um dos produtos mais populares do mundo.

Esse não é um caso isolado da falta de objetivo do marketing tecnológico. Anos atrás, um setor da tecnologia tentava convencer os musicófilos de que deveriam atualizar os seus sistemas de som estéreo. Eles deveriam investir em uma nova tecnologia chamada de som quadrafônico comprando um novo equipamento eletrônico e colocando pelo menos quatro caixas de som na sala de estar em vez de apenas duas. O mercado não estava evidentemente pronto para isso e as vendas necessárias nunca se materializaram para que o som quadrafônico se tornasse o novo padrão de áudio na sala de estar americana. A tecnologia não desapareceu, entretanto, e os princípios do som quadrafônico podem hoje ser encontrados nos sistemas de Surround Sound utilizados em cinemas e avançados "centros de entretenimento" domésticos, também conhecidos como *home theater*.

Eis aqui outro exemplo. Em 2000, uma empresa chamada DigitalConvergence lançou um aparelho chamado CueCat. Era um escâner pequeno com a forma de um gato (em oposição a *mouse*, rato) que era para ser ligado ao computador. Várias publicações, incluindo a revista *Forbes*, cooperaram com a empresa, embutindo minicódigos de barras nas suas páginas editoriais. Quem lesse aqueles textos e escaneasse o respectivo código de barras poderia acessar diretamente um site pertinente da Internet.

A DigitalConvergence e as publicações com que fechou parceria distribuíram 10 milhões de CueCats grátis por uma maciça mala direta a usuários (incluindo a mim). O aparelho atraiu todos os tipos de propaganda, mas encontrou muito pouco entusiasmo por parte do mercado. Parecia que a maior parte das pessoas não queria permanecer online enquanto lia uma revista. Algumas perguntas sobre privacidade também contribuíram para a falta de resposta. A grande experiência terminou dentro de um ano, ajudada pela debandada da empresa de tecnologia.

A DigitalConvergence ainda mantém um site na Internet, embora esse tenha só uma página, e aconselha os visitantes a não se desfazer dos seus CueCats porque a tecnologia voltará novamente. Eu vou guardar o meu como um testamento para o desenvolvimento de produtos para necessidades inexistentes. Além de ele poder se tornar um valioso artigo de colecionador para os meus bisnetos.

Em uma escala ainda maior, os primeiros dias do então assim chamado computador doméstico foram carregados de lapsos de marketing. Qualquer número de empresas com tecnologia de chip decidia que o mercado consumidor estava onde o crescimento futuro estava. Elas pretendiam fazer computadores especialmente para o mercado de lares. O problema era que havia pouca necessidade de computadores nos lares naqueles dias.

Os fabricantes insistiam quanto ao uso de computadores na cozinha, onde poderiam facilitar tarefas pesadas e maçantes como a de armazenar cardápios e catalogar listas de cartões de Natal. Ah, sim, e as crianças poderiam praticar jogos eletrônicos neles.

Como acontece com tais aparelhos, o interesse pelo equipamento não deslanchou enquanto não se disponibilizou uma variedade suficiente de programas para realizar muitas tarefas. Mas a razão mais forte para o sucesso inovador do computador doméstico foi o desenvolvimento do modem e a viabilização da Internet e, em última análise, da World Wide Web. Eles ofereceram motivação bastante para o público começar a se comunicar on-line e explorar a Internet.

Cinqüenta anos antes, poderíamos ter aplicado o mesmo princípio à televisão. Naqueles dias, as estações de televisão apresentavam programas apenas por algumas horas do dia, e o produto muitas vezes era pouco mais que o rádio com imagens. Só depois de quatro ou cinco anos é que os consumidores começaram a comprar televisores em grande número, quando a quantidade e a qualidade da programação disponível fizeram isso valer a pena para eles.

A INTERNET É UM MEIO DE PROPAGANDA?

Num certo sentido, é um pouco impróprio chamar a Internet de meio, como se nos referíssemos a um meio de propaganda. Apesar das inúmeras possibilidades que oferece, a Internet ainda precisa provar que é um meio eficaz para a propaganda. Isso não é tanto uma falha inerente da Internet como é dos profissionais de marketing que ainda não dominaram a técnica de propaganda adequada. Pode ser que dominem algum dia, mas isso consumirá uma boa quantidade de tempo e energia criativa.

A Internet, no entanto, causou o maior impacto na sociedade como um meio de comunicação pessoal e veículo de vendas entre as empresas. É por ela que os filhos e filhas internos em uma faculdade distante se comunicam com os pais em casa. É por ela que os advogados de uma grande corporação trocam minutas de contratos entre si. É por meio dela principalmente que as empresas operam em todo o mundo a despeito das diferenças de fusos horários.

Também é por ela, para a consternação de muitos, que uma legião de usuários espertalhões vem se lançando à prática não muito agradável do *spamming*, espalhando indiscriminadamente um tipo de anúncio conhecido como *spam*.[23] Eles tentam vender-nos de tudo, de Bíblias a pornografia, de programas de dieta a removedores de manchas. Em um relance, parece, passamos de uma torrente de correspondência comercial não solicitada *(junk mail)*, para um verdadeiro tsunami de tranqueiras pelo correio eletrônico *(junk e-mail)*.

---

23. O termo *spam* originou-se de um programa da série inglesa de comédia *Monty Pyton*, onde vikings desajeitados, num bar, pediam repetida e exageradamente *spam*, marca de um presunto enlatado americano. (N. do T.)

Certo tipo de *spam* é totalmente criminoso. Durante vários anos, muitos executivos e outros americanos, incluindo a mim, receberam cartas fraudulentas de vigaristas da Nigéria. A jogada deles era sempre a mesma. Eles alegavam ser funcionários do governo anterior que deixariam o país com 50 milhões de dólares. Se você lhes desse o número da sua conta bancária, eles transfeririam o dinheiro para a sua conta e então, numa data posterior, sacariam o dinheiro, deixando para trás 10 por cento pela sua cooperação. Esse tipo de correspondência fraudulenta aparentemente deixou de vir pelo serviço postal para agora vir pelo correio eletrônico via e-mail. Em vez de receber uma carta assim a cada três ou quatro meses, venho recebendo mensagens semelhantes por e-mail a cada três ou quatro *semanas*.

A menos que ocorram mudanças radicais, o *spamming* — e o *scamming* — continuará, pelo menos por uma única razão: não custa absolutamente nada ao remetente. Quanto mais o preço da postagem sobe, mais econômico é para os profissionais de marketing passarem das cartas comerciais para o e-mail. Não existe um relatório definitivo sobre o assunto, mas podemos considerar que a taxa de resposta ao *spam* é extremamente baixa, e muito provavelmente irá se tornando ainda menor, à medida que os usuários de computador vão desenvolvendo defesas contra esses ataques. Essa é, é claro, uma má notícia para os profissionais de marketing genuínos ou qualquer outro profissional que tente se comunicar com os clientes e amigos ou praticar uma atividade comercial legítima na Internet.

Como declarei anteriormente neste capítulo, a adaptabilidade multidimensional da Internet é o que a torna superior a todos os outros tipos de mídia. Na verdade, um dos pontos fortes da Internet é a sua capacidade de distribuir muitos outros tipos de mídia. Um exemplo é o rádio na Internet. Por meio de vários serviços, você pode escutar a sua estação de rádio favorita graças à capacidade da Internet de "escoar a mídia". Está em andamento uma disputa quanto ao pagamento de direitos autorais que nos Estados Unidos envolveu até o governo federal, mas o aspecto importante é ser tecnologicamente possível.

E se o rádio é possível, por que não a televisão? Com uma largura de banda mais rápida, um executivo em viagem poderia sintonizar o noticiário noturno da sua cidade no computador portátil, vendo as manchetes locais e a previsão do tempo. Isso não é absolutamente fora do comum, uma vez que os executivos já lêem as versões online dos jornais locais quando saem de viagem.

A televisão no seu computador portátil pode não estar assim tão distante no futuro. Enquanto este livro estava sendo escrito, a Northwestern University em Evanston, Illinois, anunciou que estava oferecendo vinte canais de televisão a cabo para os seus alunos pela rede de dados de alta velocidade da escola. Praticamente todo aluno tem um computador e acesso à rede, e essa oferta lhe permite assistir à TV a cabo sem precisar comprar um televisor ou fazer uma assinatura individual. O serviço é oferecido aos estudantes por 120 dólares ao ano, uma pechincha comparando-se com o custo normal de 45 dólares ou mais por mês para uma assinatura de TV a cabo (*Chicago Sun-Times*, 23 de setembro de 2002). Uma vez mais, esse não é um meio novo, mas o casamento de dois tipos de mídia existentes em um pacote conveniente.

UM MEIO MULTIFUNCIONAL

Embora a Internet não tenha se transformado em um meio de propaganda comprovado, o seu potencial para transmitir outros tipos de mídia é consideravelmente importante. E transmitir conteúdo de mídia é só uma das funções da Internet. Se você acrescentar essa função à enorme mudança nas comunicações pessoais causadas pelo e-mail, ela resulta em um pacote influenciador com um potencial incrivelmente maior.

Há ainda muito mais coisas que a Internet pode fazer. O comércio eletrônico, ou *e-commerce*, mal começou e já produziu um grande impacto no segmento de varejo do mercado. O potencial de mercado consumidor na Internet é ilimitado.

Nesse contexto, é significativo que o comércio eletrônico de consumidor constitua só uma fração do comércio entre as empresas[24] que já vem acontecendo. De acordo com uma estimativa feita pela eMarketer, Inc., uma empresa de pesquisa da Internet, o comércio eletrônico mundial entre as empresas chegou a quase 825 bilhões de dólares em 2002. A empresa também previu que o comércio eletrônico entre as empresas na Internet chegaria a 2,4 trilhões de dólares em 2004. Muito desse comércio é de produtos industriais, como substâncias químicas e matérias-primas, e envolve serviços de assistência técnica nos quais os clientes podem repor suprimentos simplesmente por pedidos pela Internet. Isso agiliza o processo de marketing das empresas de negócios entre empresas e acelera o processo de todas as atividades necessárias para o atendimento de um pedido.

O marketing de produtos de escritório é um exemplo disso. Um vendedor telefona para clientes potenciais e descobre que tipo de produtos cada cliente usa habitualmente. O pessoal de vendas chega a fazer estimativas

24. Comércio entre as empresas: expressão também difundida em inglês como *business-to-business*, *B-to-B* e até *B2B*. (N. do T.)

sobre a quantidade de cartuchos de impressora, papéis, lápis e outros artigos de papelaria que a empresa usa e com qual velocidade esses materiais deveriam ser repostos. Depois que o vendedor estabeleceu a gama de produtos, o encarregado do escritório do cliente pode simplesmente entrar no site do vendedor para pedir a reposição dos materiais. Os profissionais de marketing também podem estimar a época em que os clientes devem precisar de reposição e enviar uma mensagem estimulando-os a fazer um pedido.

O mesmo sistema pode funcionar para o comércio eletrônico de consumidor, embora os consumidores não comprem nos mesmos níveis elevados dos clientes comerciais. Não obstante, os gastos dos consumidores na Internet alcançaram níveis respeitáveis em um curto período de tempo e o seu potencial de crescimento é ilimitado. A Tabela 10.1 mostra as dez principais categorias de produtos e serviços oferecidos pela Internet, mais o crescimento de um ano para o outro no primeiro semestre de 2002. Lembre-se de que esse crescimento registrou-se mesmo num momento em que a economia flertava com uma recessão. As vendas online no total aumentaram 44 por cento em um período que de outra maneira teria sido péssimo para as vendas no varejo.

TABELA 10.1 CATEGORIAS DE GASTOS ONLINE DOS CONSUMIDORES COM CRESCIMENTO MAIS RÁPIDO, PRIMEIRO SEMESTRE DE 2002 VERSUS PRIMEIRO SEMESTRE DE 2001

GASTOS ONLINE DOS CONSUMIDORES

Posição	Categoria	Vendas, 1º sem. 2002	Percentual de Mudança desde 2001
1	Móveis e utensílios	$ 316.189.127	154%
2	Casa e jardim	899.882.381	101%
3	Serviços gerais	201.415.914	80%
4	Esportes e forma física	482.503.210	77%
5	Viagens	14.773.387.316	71%
6	Ingressos para eventos	1.249.576.972	68%
7	Escritório	3.218.368.617	51%
8	Jogos de vídeo	121.492.909	47%
9	Equipamentos para computadores	4.662.862.978	45%
10	Cinema e vídeo	434.872.979	39%
	Total de Vendas Online	**$34.588.658.423**	**44%**

Fonte: comScore Media Metrix, uma divisão da comScore Networks Inc.

Outra maneira de medir a presença crescente da Internet é examinando o seu tráfego em números reais. Uma pesquisa da comScore Media Metrix em julho de 2002 mostrou que os sites de propriedade da AOL Time Warner atraíram o maior número de visitas individuais (não repetidas), quase 100 milhões (veja a Tabela 10.2). Em números reais, isso significa que cerca de 35 por cento dos residentes da nação visitaram esses sites durante o mês de julho. Os sites da MSN-Microsoft, por sua vez, atraíram quase 90 milhões de visitantes. São números enormes, comparados com o alcance da televisão. Mais que isso, precisamos considerar que os usuários de computador *interagem* com os sites da Internet, diferente da maneira passiva com que se assiste à televisão. Eles se envolvem mais com a Internet do que lhes permitiria um meio que não tem nenhum potencial interativo. Esses índices baseiam-se num painel de 1,5 milhão de usuários de computador continuamente monitorado da comScore Networks, categorizados como público-alvo em casa, no trabalho, na universidade e fora dos Estados Unidos.

TABELA 10.2 OS 50 SITES MAIS VISITADOS DA INTERNET, AGOSTO DE 2002

MÍDIA DIGITAL TOTAL	VISITAS INDIVIDUAIS		
	Casa/ Trabalho (123.461.000)	Casa (117.920.000)	Trabalho (42.469.000)
AOL Time Warner Network-Proprietary and WWW	97.152.000	86.583.000	29.906.000
MSN-Microsoft Sites	90.430.000	78.642.000	33.132.000
Yahoo! Sites	83.969.000	70.845.000	27.588.000
Google sites	37.354.000	29.364.000	14.466.000
eBay	34.408.000	26.000.000	11.698.000
Terra Lycos	33.977.000	26.763.000	11.081.000
About/Primedia	31.646.000	23.870.000	10.596.000
Amazon Sites	27.347.000	19.766.000	10.041.000
Viacom Online	21.627.000	16.191.000	6.322.000
Classmates.com Sites	21.462.000	16.836.000	7.080.000
CNET Networks	20.412.000	14.505.000	7.385.000
Walt Disney Internet Group (WDIG)	20.396.000	16.808.000	6.403.000
iVillage.com: The Women's Network	19.947.000	14.057.000	5.923.000
InfoSpace Network	19.730.000	14.767.000	6.666.000
AT&T Properties	17.821.000	14.748.000	7.179.000
Real.com Network	17.726.000	13.375.000	6.486.000
Excite Network	16.401.000	12.957.000	6.310.000

	Casa/ Trabalho (123.461.000)	Casa (117.920.000)	Trabalho (42.469.000)
eUniverse Network	16.050.000	12.881.000	4.014.000
Ticketmaster Sites	15.897.000	11.285.000	6.392.000
Gannett Sites	15.198.000	9.760.000	6.658.000
Vivendi-Universal Sites	15.119.000	11.405.000	4.509.000
AWS Technology	15.030.000	11.841.000	3.934.000
Verizon Communications Corporation	15.025.000	9.497.000	5.767.000
Gator Network	14.096.000	11.526.000	4.019.000
Ask Jeeves	13.535.000	9.532.000	4.715.000
Monster.com Property	13.401.000	9.556.000	4.829.000
Expedia Travel	13.114.000	8.260.000	5.928.000
SBC Communications	12.969.000	9.371.000	4.384.000
The Weather Channel	12.794.000	9.622.000	5.876.000
EA Online	12.278.000	10.016.000	2.661.000
Earthlink	11.598.000	8.875.000	3.930.000
United Online, Inc.	11.460.000	10.411.000	2.492.000
American Greetings Property	11.356.000	8.588.000	3.365.000
New York Times Digital	11.298.000	7.395.000	5.143.000
Orbitz.com	10.889.000	7.720.000	4.860.000
Sony Online	10.817.000	7.527.000	3.859.000
X.com Sites	10.360.000	7.274.000	3.903.000
CoolSavings.com	10.329.000	7.020.000	3.470.000
Columbia House Sites	10.288.000	7.348.000	4.430.000
BeMusic Sites	9.909.000	6.971.000	4.014.000
Dell.com	9.745.000	6.006.000	4.160.000
Citigroup	9.265.000	6.495.000	3.660.000
Travelocity	8.979.000	5.837.000	3.967.000
Wal-Mart.com	8.929.000	6.858.000	2.924.000
Harris Interactive	8.914.000	6.089.000	3.433.000
UPS.com	8.825.000	5.029.000	4.281.000
Trip Network Inc.	8.388.000	5.514.000	3.112.000
News Corp. Online	8.276.000	5.948.000	2.783.000
MyFamily Network	8.195.000	5.534.000	2.673.000
Atomshockwave Sites	8.180.000	5.841.000	2.770.000

Audiência: Casa/trabalho nos Estados Unidos; pessoas com mais de 2 anos de idade.
Os números referem-se ao número de visitas individuais durante o mês de agosto de 2002.
Fonte: comScore Media Metrix, uma divisão da comScore Networks Inc.

Um padrão interessante é que tem ocorrido mais comércio eletrônico enquanto os consumidores estão no trabalho do que em casa. Exatamente a metade do comércio eletrônico de consumidor no ano fiscal de 2001 (calculado em 53 bilhões de dólares) foi conduzida a partir de computadores no trabalho. Isso exclui sites de leilão e compras por grandes corporações. O comércio eletrônico de casa nos Estados Unidos foi de 31 por cento do total, 15 por cento foram fontes não americanas e 4 por cento de escolas. As compras não americanas são um dado interessante porque mostram a capacidade e o potencial de vendas internacionais, muito mais que outra mídia tem capacidade de produzir.

Um dos fatores que a pesquisa pôde identificar foi a hora do dia que os usuários estavam na Internet e fazendo compras. A pesquisa de hora em hora mostra que o comércio eletrônico é muito leve nas primeiras horas da manhã mas salta consideravelmente entre 8 e 9 horas da manhã, chegando ao pico entre 11 horas da manhã e meio-dia.

Essas informações podem ajudar os profissionais de marketing nas campanhas coordenadas, de acordo com Daniel Hess, vice-presidente da comScore Networks Inc. "Seria falta de visão negligenciar as muitas maneiras pelas quais as informações da comScore podem melhorar a eficiência dos trabalhos de marketing *offline*", ele diz. "Por exemplo, se a caixa registradora online começa a tilintar em uma determinada categoria de produto entre as 8 e 9 horas da manhã, seria sensato para um profissional de marketing testar as campanhas de encorajamento da participação nos programas matutinos da TV e nos programas de rádio para quem vai de carro para o trabalho." Em outras palavras, a mídia tradicional pode ser usada para direcionar o comércio eletrônico se o pessoal de propaganda aprender sobre como e quando os clientes potenciais estão online e prontos para comprar. É outra demonstração do uso do marketing integrado.

A noção de uso do computador no trabalho também foi tirada em um estudo conduzido pela Millward Intelliquest Brown para a Online Publishers Association no início de 2002. Para aqueles que usam a Internet no trabalho, ela é o meio primordial, tomando até 34 por cento dos seus "minutos de mídia", contra 30 por cento para a televisão. Entre aqueles que entram na Internet em casa, a televisão consome 44 por cento dos seus minutos de mídia, contra 26 por cento para a Internet.

Um fator que os anunciantes também precisam considerar nesses números é que as pessoas que usam a Internet no trabalho têm maior probabilidade de fazer parte daquela faixa etária preciosa entre os 18 e os 34 anos e ter um melhor nível educacional e de potencial de consumo. Na linguagem do marketing, isso significa que os usuários da Internet são um mercado-alvo muito valioso (Online Publishers Association/MBIQ Media Consumption Study, novembro de 2001). Muitos varejistas têm encontrado um mercado significativo na Internet. A Tabela 10.3 é uma amostra; ela relaciona os 25 maiores varejistas online num determinado mês do ano.

O poder crescente do comércio eletrônico também pode ser demonstrado pela experiência de tradicionais comerciantes por catálogo como a

TABELA 10.3 AS 25 MAIORES EMPRESAS DE VAREJO ONLINE, MAIO DE 2002

Site na Internet	Compra Média	Participação no Mercado em Dólares	Visitantes do Mundo Todo (em milhões)
Dell.com	$1.329	22%	12,5
Ticketmaster.com	159	12	7,8
Amazon.com	45	10	49,8
OfficeDepot.com	150	10	3,5
Quill.com	159	4	0,4
Quixtar.com	126	4	0,7
Staples.com	159	3	2,1
Sears.com	282	3	4,3
QVC.com	68	3	1,9
OfficeMax.com	204	3	1,3
VictoriasSecret.com	102	2	2,8
SonyStyle.com	907	2	2,5
JCPenney.com	102	2	3,0
1-800-Flowers.com	61	2	2,9
TigerDirect.com	399	2	1,4
Newport-News.com	87	2	1,4
HSN.com	90	2	1,7
BarnesandNoble.com	71	2	9,0
ColumbiaHouse.com	43	2	11,7
Tickets.com	111	2	1,3
Proflowers.com	45	1	2,2
FTD.com	67	1	2,0
Spiegel.com	177	1	2,0
Overstock.com	97	1	3,1
Chadwicks.com	91	1	0,9

Fonte: comScore Networks Inc.

J. Crew. A empresa estabeleceu um recorde em fevereiro de 2002, quando as suas vendas online ultrapassaram as suas vendas de catálogo pela primeira vez na história. Um executivo da empresa foi citado como tendo dito que a média dos negócios online foi maior que a média de venda por catálogo, "principalmente porque podemos fazer coisas online que não podemos fazer com o catálogo" (*New York Times*, 25 de março de 2002). Entre as coisas que o varejista pôde fazer incluía-se programar o software de vendas para oferecer um acessório complementar assim que um cliente fizesse um pedido para um determinado artigo. A uma cliente que comprasse uma calça jeans poderia imediatamente ser oferecido um cinto adequado ou um bustiê combinando com a calça.

O potencial da Internet para vender mercadorias e serviços tem a tendência para aumentar nos próximos anos por causa de vários fatores, variando da penetração crescente da Internet nos lares até a maior disposição dos consumidores de usar cartões de crédito nas compras online.

Enquanto Amazon.com comprovou que é a campeã do comércio eletrônico em termos de visitantes e vendas individuais, empresas como a Dell demonstram outro fator: é possível vender artigos de alto valor na Internet, especialmente se o vendedor tiver uma marca de peso.

Outra categoria em que se espera um aumento crescente nas vendas durante os próximos anos é a compra online de passagens aéreas. Espera-se que a porcentagem de passagens aéreas vendida online nos Estados Unidos aumente de 10 por cento de todas as vendas em 2000 para 31 por cento em 2005 (International Data Corporation/eMarketer, abril de 2001). A empresa de pesquisas eMarketer usou dados de referência do Departamento de Comércio americano para projetar que as vendas de varejo online aumentarão de 27,3 bilhões de dólares em 2000 para mais de 109 bilhões de dólares em 2005. Durante o mesmo período, espera-se que as receitas do setor de viagens online aumentarão de 13,4 bilhões de dólares para mais de 46 bilhões de dólares (eMarketer, setembro de 2002).

Outra assim chamada categoria de produto que migrou efetivamente para a Internet é a do comércio de seguros. Em 1999, 7,2 por cento de todos os lares americanos praticaram algum tipo de comércio online e espera-se que essa participação aumente para mais de 31 por cento em 2005 (Jupiter Research 2001, desenvolvida por eMarketer, abril de 2002). O Quadro 10.1 ilustra essa tendência.

QUADRO 10.1 PORCENTAGEM DO COMÉRCIO ONLINE NOS LARES AMERICANOS, 1999-2005

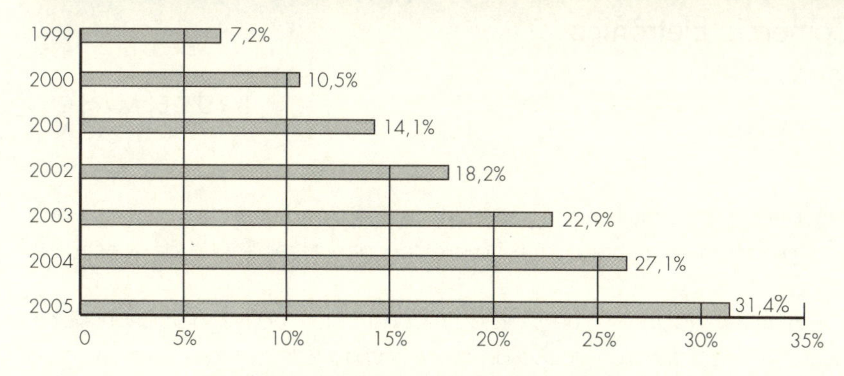

Nota: Dados de 2000 baseados na contagem do U.S. Census Bureau, o Censo americano, de um total de 105.480.101 lares americanos; os dados dos outros anos baseiam-se na taxa de crescimento dos lares americanos, projetada pelo Censo americano a partir de maio de 1996.

Fonte: Jupiter Research, 2001; © para o desenvolvimento, eMarketer, Inc., abril de 2002.

A IMPORTÂNCIA DA INTERNET PARA AS MARCAS

O crescimento do marketing online tenderá a aumentar a importância do desenvolvimento das marcas. Não é provável que muitos consumidores gastem centenas de dólares ou mais em compras pela Internet a não ser que estejam familiarizados com o nome das marcas e tenham confiança na qualidade do produto e no seu fabricante.

A comercialização em massa produziu um tremendo impacto sobre a importância do valor patrimonial da marca por causa da natureza de autoserviço do varejo. Os consumidores precisavam confiar no nome da marca porque nem sempre havia um vendedor para ajudá-los a avaliar os produtos. O comércio eletrônico torna o nome da marca ainda mais importante por causa da natureza da decisão de compra, de longa distância. Seria infrutífero qualquer produto com uma marca de pouco ou nenhum valor competir com um artigo de marca altamente considerada.

Convém também argumentar que a função de fazer pesquisa online antes de fazer uma compra torna-se mais importante nessa Era da Internet, como tem acontecido com os compradores de automóveis previdentes. Embora acabem fazendo o pedido a um vendedor em uma concessionária de automóveis, milhões de usuários da Internet fazem extensas pesquisas online antes de fazer a primeira visita ao negociante.

UMA OUTRA OPINIÃO...

Prevendo o Futuro do Marketing no Alvorecer da Era do Comércio Eletrônico

BRUCE MASON

Fazer previsões é fácil. Basta perguntar às pessoas que enchem a nossa vida com prognósticos sobre o que irá ou não acontecer em 1º de janeiro de 2000.

No meu negócio — o negócio da propaganda — a tecnologia já estabeleceu a velocidade de rotação do nosso mundo. Os avanços na tecnologia digital têm maior velocidade que o microchip mais veloz. Na verdade, em toda a história da humanidade, essa é uma tecnologia que quanto mais depressa muda, mais rápido ainda é adotada. No momento em que termino este artigo e envio por e-mail para o *Advertising Age*, o futuro pode ter dado mais outra volta impressionante.

De uma coisa sabemos com certeza: a tecnologia digital abriu as comportas para o comércio eletrônico. E o comércio eletrônico mudou o hábito de consumo mais rápido do que se pudesse imaginar. Começando pelo negócio do setor do comércio de empresa para empresa — com a sua base de informática já instalada — e passando rapidamente por milhões de lares nos Estados Unidos, na Europa e nos demais lugares do mundo, o comércio eletrônico pegou.

As vendas online estão explodindo. O comércio eletrônico e pela Web já começou a gerar negócios multinacionais inteiramente novos — por exemplo, a Amazon.com, E*Trade, eBay.

O que vemos é nada menos que o alvorecer de uma "digiconomia" mundial — uma nova forma de distribuição e vendas mundiais que desvia da infra-estrutura tradicional de tijolos e concreto normalmente associada ao marketing de bens e serviços. Para uma enormidade de setores inteiros, o comércio eletrônico é um meio mais rápido, mais barato e mais eficaz de vender bens e serviços em qualquer lugar no mundo.

TV TRANSACIONAL

Eu predigo que o próximo evento central — e na minha humilde opinião acontecerá dentro dos próximos dois anos — será a transformação da TV passiva em um instrumento transacional interativo. Os consumidores não precisarão de computadores para surfar na Web em pesquisas para comprar produtos e serviços. Eles poderão conectar-se com a Web direto do aparelho de TV.

O que torna essa transformação possível é a tecnologia de banda larga. Rupert Murdoch já começou a disponibilizar essa tecnologia aos assinantes na Europa do seu satélite BSkyB e, com o recente acordo que firmou com a Echo Star, os Estados Unidos não ficarão muito atrás. John Malone e a Tele-Communications Inc. estão firmes na esteira dele com o mesmo potencial a cabo.

A magia da tecnologia de banda larga é que, ao contrário da banda estreita, restringida pelos cabos telefônicos e o uso do modem, ela proporciona uma tela com alta resolução, animação em tempo real, vídeo interativo. Pela primeira vez, as imagens da Web terão qualidade de TV.

As desvantagens do comércio eletrônico de banda estreita como conhecemos hoje — imagens borradas, movimentos desconexos ou bruscos, figuras planas e tempo de resposta lento — serão coisa do passado.

Uma vez mais a ênfase estará no conteúdo; e a criatividade jamais terá sido tão importante.

Eis como vai funcionar. Sentado na sua casa, o consumidor está assistindo a um programa de TV quando vê um comercial. Se a propaganda for interessante e o espectador ficar interessado no produto, ele simplesmente poderá clicar no controle-remoto. O comercial estará ligado automaticamente ao site do anunciante na Internet, onde o consumidor terá um contato mais aprofundado com a marca em tempo real e, se quiser, poderá comprar o produto ou direito no mesmo instante — no momento da verdade da marca — direto do aparelho de TV.

A MAIS POTENTE ARMA DE MARKETING

Com o surgimento da TV transacional, a valorização das marcas vai depender tanto da interação em tempo real da Web como dos comerciais da TV tradicional. A TV transacional será a mais potente arma de marketing mundial que os profissionais de marketing de multinacionais já viram. O modelo empresarial dos nossos clientes e o nosso serão alterados profunda e permanentemente.

Além disso, ela inaugura uma nova era de responsabilidade na prestação de contas. Pois, como disse John Wanamaker na última virada de século: "Eu sei que metade do dinheiro que gasto em propaganda é desperdiçado. O único problema é que eu não sei qual metade."

Na próxima virada de século, na nova digiconomia, vamos saber qual a metade que é desperdiçada — e também o saberão os nossos clientes — porque cada visita a um site da Internet e cada transação será um ponto registrado no banco de dados que poderá ser localizado. Isso é prestação de contas.

O PAPEL DAS AGÊNCIAS DE PROPAGANDA

Essa responsabilidade na prestação de contas vem acompanhada de um novo mundo de possibilidades. E o papel das agências de propaganda — daquelas que assumirem um papel de liderança no tratamento dos dados de tempo real e no controle do potencial criativo da TV transacional — esse papel será mais importante do que nunca.

Para nós que estamos no negócio da propaganda — e, de fato, para todos que estão em todos os negócios — esse será o momento mais empolgante que algum de nós já viveu. Portanto, apertem os seus cintos de segurança virtuais. Estamos uma vez mais em velocidade de dobra.

Bruce Mason aposentou-se como CEO da True North Communications em 1999. Este texto foi publicado originalmente como um artigo da seção "Ponto de Vista" da edição de 29 de março de 1999 do Advertising Age.

CAPÍTULO 11

QUEM SÃO ESSAS PESSOAS, AFINAL?

Elas São Mais Velhas, Ricas, Atualizadas e Familiarizadas com a Mídia do que Qualquer Outra Geração de Consumidores

Um dos grandes desafios para os profissionais de marketing e as suas agências de propaganda nos últimos anos tem sido analisar e entender os diferentes dados demográficos de gerações sucessivas. Em praticamente todo país que tem uma classe média vigorosa, os integrantes do grupo mais ativo economicamente — normalmente as pessoas entre 18 e 34 anos de idade — são muito diferentes dos seus pais de várias maneiras.

As gerações são dinâmicas — mudam constantemente. Só porque a sua mãe usava a esponja de limpeza Bab-O, isso não significa que você usará. Na verdade, talvez seja esta exatamente a razão pela qual você não usa o produto. O que melhor exemplificou isso foi a campanha "Este não é o Oldsmobile do seu pai", muito embora ela não tenha conseguido impulsionar as vendas daquele produto. (A lacuna entre as gerações não teve nada a ver com o fracasso do Olds. A General Motors maculava as suas marcas pondo a maior parte delas sobre as mesmas plataformas, depois encaixava-as em modelos que se pareciam todos uns com os outros. O que será que pode fazer um comprador de automóvel perceber as diferenças entre um Oldsmobile, um Pontiac e um Chevrolet? Resposta: não muita coisa. O Olds era a marca mais vulnerável.) É interessante notar que, enquanto o Oldsmobile tentava explorar um certo tipo de atitude irreverente para atrair os compradores jovens, o Buick criava promoções especiais direcionadas a consumidores mais velhos.

Para ter uma idéia de como a população americana mudou durante os últimos setenta anos do século XX, consultemos a Tabela 11.1 que mostra os dados preparados pelo Censo americano. Como se pode ver, algumas das mudanças são excepcionais. Embora o ano de 1930 pudesse parecer história antiga aos mais jovens, milhares de americanos que nasceram naquele ano ou antes dele ainda viviam. Eles percebiam que as mudanças aconteceram dentro do seu período de vida.

TABELA 11.1 COMO OS ESTADOS UNIDOS MUDARAM DESDE O CENSO DE 1930

Medição Demográfica	1930	2000
População americana total	122,8 milhões	281,4 milhões
País líder em nascimentos de filhos de estrangeiros	Itália (1,8 milhões)	México (7,8 milhões)
Expectativa de vida	59,7 anos	77,1 anos
Média de idade	26,5 anos	35,3 anos
População da Califórnia	5,7 milhões	33,9 milhões
Pessoas com idade de 65 anos ou mais	6,6 milhões	35,0 milhões
Proporção de mulheres no mercado de trabalho	24 por cento	61 por cento
Percentual de lares com pessoas morando sozinhas	8 por cento	26 por cento
Média de pessoas por lar	4,1	2,6

Fonte: Relatório do Censo americano publicado em 28 de março de 2002.

Os nascidos em 1930 e antes disso, com relação ao período de vida, testemunharam uma tremenda mudança econômica, social, política e tecnológica. Eles nasceram em um mundo sem televisão, aparelhos de fax, computadores, telefones móveis, aviões a jato, fornos de microondas, rádios portáteis, Previdência Social, fotocopiadoras, aparelhos de som estéreo, penicilina e um sem-número de outros produtos sobre os quais os consumidores atuais nem sequer pensam duas vezes.

Mais que isso, durante o curso da sua existência, a propaganda se transformou em um elemento constante, às vezes aborrecido, nas suas vidas. A propaganda afetou os nossos hábitos de compra, alterou o nosso idioma, mudou as nossas modas e sempre insistiu em chamar a nossa atenção. Ela também imiscuiu-se na cultura não só dos americanos mas também dos consumidores em praticamente todos os países do mundo.

No âmago da propaganda moderna está a pesquisa de mercado, o estudo dos consumidores e do que eles querem e como querem. Os bons profissionais de marketing especializaram-se em usar essas pesquisas para criar e vender produtos que sabem que atrairão os consumidores. Houve ocasiões, entretanto, em que a pesquisa expôs-se ao descrédito por preconceitos e hábitos. Por mais sofisticado que seja, o setor às vezes se esquece do óbvio.

Em 1990, publiquei um livro intitulado *FutureScope: Success Strategies for the 1990s and Beyond.* O meu objetivo era mostrar que não era assim tão difícil analisar os dados disponíveis e fazer algumas predições bastante precisas sobre o futuro. Entre as predições constantes daquele livro uma era a de que a taxa de desemprego cairia mais ou menos em meados da década de 1990. Ao lado disso, o livro sugeria que a taxa de criminalidade também declinaria ao longo da década de 1990. Essas não eram suposições visionárias que simplesmente pareciam favoráveis. Elas se baseavam em estatísticas de idade, o fator demográfico mais elementar.

O número de pessoas com idade entre 18 e 34 anos nos Estados Unidos aumentara de cerca de 39 milhões em 1960 para mais de 70 milhões em 1990, um crescimento de cerca de 80 por cento. Mas esperava-se que esse grupo etário diminuísse para cerca de 62 milhões entre 1990 e 2000. Isso significava que cerca de 8 milhões a menos de trabalhadores estariam entrando no mercado de trabalho. Caso se considerasse um crescimento econômico mesmo moderado durante aquela década, era certo que o desemprego diminuiria.

Além disso, uma vez que em todo o mundo as pessoas daquela faixa etária são responsáveis pela maior parte da criminalidade, também era fácil predizer que a taxa criminal recuaria, como tem acontecido na maior parte das cidades americanas. Ainda havia outra nuance relativa à taxa criminal atribuída àquele declínio no grupo etário. Se a taxa de desemprego caísse, mais pessoas estariam trabalhando, e haveria trabalho para aqueles que de outra maneira poderiam recorrer ao crime caso estivessem desempregados.

Apliquemos esse mesmo conceito a um verdadeiro desafio de marketing da década de 1990, que se revelou uma década muito difícil para as maiores empresas de cerveja dos Estados Unidos. Nas grandes cidades e cidades universitárias brotavam microcervejarias às centenas. Também, entre os bebedores de cerveja, havia um interesse crescente por produtos importados, de países tão diversos quanto Holanda, México e China. Um outro fator também estava em jogo: aquele mesmo declínio no número de pessoas com idade entre 18 e 34 anos. As pessoas dessa faixa etária são as maiores consumidoras de cerveja. Se uma pessoa na média de idade desse segmento etário consumisse apenas uma caixa de cerveja ao ano, o declínio naquele grupo de idade significaria um declínio de 8 milhões de caixas vendidas. Na verdade, as vendas totais de cerveja caíram 4 por cento entre 1990 e 1995 (Beer Institute). Desde aquela época, as vendas recomeçaram a avançar à medida que o número de pessoas com 18 a 34 anos de idade voltou a subir.

Quando os mercados declinam, a reação automática mais comum entre os clientes é procurar uma nova agência de propaganda. Eles reagem como se esperassem que a nova agência de alguma maneira fosse capaz de criar alguns milhões de consumidores para o seu produto. Na verdade, as agências todas reagiram ao declínio na sua audiência principal produzindo ainda mais comerciais direcionados àquele mercado de adultos jovens cada vez mais encolhido. Todos temos visto os típicos comerciais com homens jovens e bonitos e moças com corpo escultural em minúsculos vestidos colantes, alguns parecendo jovens demais para beber, divertindo-se em bares de solteiros. Os cervejeiros tentaram todas as táticas da propaganda juvenil, de Spuds McKenzie ao Swedish Bikini Team[25], mas as vendas de cerveja continuaram a despencar. A participação no mercado podia ter mudado, mas o problema maior de uma mudança demográfica não foi sequer considerada. E ela poderia ter sido considerada pela propaganda dos cervejeiros.

Não me lembro de uma única campanha de cerveja lançada na década de 1990 que, por exemplo, tenha sido direcionada ao mercado de 35 a 40 anos de idade, um segmento ligeiramente mais velho que crescia 29 por cento durante aquela década. Esse grupo compreende os integrantes mais jovens da geração Baby Boom. Haveria alguma razão para eles deixarem de beber cerveja ao chegarem aos 35 anos de idade? Será que é porque o produto já não é mais anunciado para eles, e eles passam a procurar uma bebida mais adequada à sua idade? Ou será porque de repente eles viram as suas marcas favoritas fragmentadas em uma série confusa de cervejas geladas, cervejas vermelhas, cervejas secas, chopes engarrafados e outras alternativas paradoxais?

Não sou um entendido no setor cervejeiro, não estou inteirado de nenhuma pesquisa em especial sobre o assunto, mas como um observador eventual da natureza humana e dos hábitos de compra do consumidor, gostaria de saber por que nenhum cervejeiro sequer tentou explorar esse mercado um pouco mais velho. Por que não criar uma cerveja para o bebedor ligeiramente mais maduro? Por que investem todas as energias em lançar uma geração de novas cervejas (a maioria delas fracassada) que com certeza serão evitadas pelo bebedor maduro?

Mais que isso, os cervejeiros deveriam ter se preparado com anos de antecedência para o declínio. Eles deveriam saber do declínio no seu segmento de mercado básico pelo menos dez anos antes, porque houve a mesma queda proporcional na faixa etária de 18 a 34 anos de idade durante a década de 1980. O que os cervejeiros deveriam ter feito era encomendar algumas pesquisas simples, analisar os números e projetá-los para o futuro.

---

25. Spuds McKenzie, um cão da raça *bull terrier* que "falava" em cena, foi o astro de uma campanha da cerveja Budweiser Light, no final da década de 1980. O Swedish Bikini Team são garotas loiras, bonitas e sensuais representadas por uma agência que as disponibiliza para promoções em eventos. (N. do T.)

Mas não se lamente pelos cervejeiros. As vendas de cerveja estão novamente em alta. Eu continuo sustentando que é porque o número de pessoas de 18 a 34 anos de idade já começou a crescer e continuará aumentando substancialmente ao longo desta década. Mas ainda gostaria de saber por que nenhum dos cervejeiros direciona um produto para o segmento de maior crescimento populacional dos Baby Boomers que passam para uma faixa etária mais avançada.

E para ampliar mais uma idéia nesse sentido, seria interessante ver um cervejeiro desenvolver uma cerveja especificamente direcionada às mulheres, assim como a Philip Morris Company fez com o seu Virginia Slims no negócio de cigarros. Só porque a sua mãe não bebia cerveja, não quer dizer que a sua filha não vai beber. Os cervejeiros já sabem que as mulheres geralmente preferem cervejas leves; eles poderiam desenvolver um produto com uma imagem mais feminina.

Vamos dar uma olhada em algumas das mudanças que estão ocorrendo em grupos demográficos de maior importância.

O MERCADO MADURO

A Tabela 11.2, que relaciona as projeções populacionais do Censo americano por grupos etários entre 2001 e 2010, mostra as tendências por trás de uma quantificação importante: a idade média dos americanos residentes no país. A idade média atingiu 35,3 anos no censo de 2000, significando que a metade dos residentes no país eram mais velhos e a metade era mais jovem que 35,3. Essa é a idade média mais antiga registrada desde que os Estados Unidos começaram o censo. Por comparação, a idade média em 1980 era de 30 anos. Até 1800, era de cerca de 16 anos, embora não fosse quase tão cientificamente registrada como é agora.

Esse mesmo envelhecimento da população, a propósito, está acontecendo em muitas regiões do mundo. Ele é mais evidente na Europa, onde o envelhecimento da população está sendo encarado como um potencial problema social. As populações da Europa Ocidental têm idade média uns dois anos acima dos Estados Unidos, mas as taxas de natalidade estão despencando, especialmente na Alemanha, na Espanha e na Itália. Esses países, junto com praticamente toda a Europa, enfrentam declínios nas suas populações e, como resultado, têm populações mais velhas. Para 2020, a idade média projetada para a Europa é de 45 anos, contra 37 nos Estados Unidos. Na Itália, a projeção é de 50 anos. Os italianos, antes conhecidos por suas grandes famílias, hoje têm uma das mais baixas taxas de natalidade do mundo (Peter Francese, *Wall Street Journal*, 23 de março de 1998).

TABELA 11.2 DISTRIBUIÇÃO POR IDADE PROJETADA NOS ESTADOS UNIDOS

	POPULAÇÃO		
Grupo de Idade	**1º de julho de 2001**	**1º de julho de 2010**	**Percentual de Mudança**
0–19 anos	78.780.000	81.113.000	2,96%
20–34	56.075.000	60.002.000	7,0%
35–49	65.150.000	61.670.000	-5,4%
50–64	42.733.000	57.363.000	34,2%
65 ou mais	35.063.000	39.715.000	13,27%

Fonte: Censo americano, janeiro de 2000.

Junto com taxas de natalidade mais baixas, a expectativa de vida mais elevada produz uma população mais velha. Nos Estados Unidos, a expectativa de vida para as pessoas nascidas em 2002 era ligeiramente superior a 77 anos, a mais avançada da história.

Para o marketing, as implicações desse envelhecimento são fáceis de perceber. Simplesmente haverá um mercado crescente para os produtos e serviços consumidos por pessoas mais velhas. Esses bens e serviços incluem não só clínicas de repouso como produtos farmacêuticos, mas também cruzeiros ao Caribe e clubes de golfe.

Para os profissionais de marketing, o desafio é descobrir as necessidades e o que deseja o consumidor maduro. Enfrentar o desafio irá necessitar de uma mudança de mentalidade na propaganda em geral, que sempre se orientou para os jovens. A mudança acontecerá nos próximos anos à medida que os Baby Boomers, aqueles que nasceram entre 1946 e 1964, começarem a ingressar na casa dos 60 anos de idade. O ano mágico será 2006, o ano em que os primeiros Boomers chegarão aos 60 e começarão a pensar na aposentadoria.

Essa é uma data notável porque a geração do Boom sempre foi um alvo constante para os profissionais de marketing. Isso se deu em grande parte por causa do tamanho daquele grupo, mais de 78 milhões de pessoas. Esse grupo produziu a maior geração de jovens que foram para a escola secundária, depois para a faculdade e então para o mercado de trabalho. Eles sempre foram os responsáveis pelo maior ponto registrado nas telas de radar dos profissionais de marketing.

E dentro de poucos anos, os Boomers serão a maior geração a passar para a aposentadoria. Será interessante ver se os profissionais de marketing e as suas agências perseguirão os Boomers mais velhos tão avidamente quanto os perseguiram como Boomers jovens.

Antes de vender aos Boomers idosos, os profissionais de marketing terão de pesquisá-los de modo significativo, especialmente para desfazer mitos sobre os americanos mais velhos. A nova geração de cidadãos mais antigos será substancialmente diferente das gerações anteriores. Inquestionavelmente, eles serão mais interessados em problemas de saúde que os de 18 a 34 anos de idade. Mas eles também estarão preocupados com a questão da aparência, assim é mais provável que comprem tinturas de cabelo, maquilagem, cremes de pele e assim por diante.

Os cidadãos mais velhos viverão muito mais tempo na aposentadoria que nenhuma outra geração anterior. Eles serão mais ricos e com uma condição física melhor. As pessoas com mais de 65 anos são mais prováveis de ter a sua casa própria que qualquer outra faixa etária. Mais que as pessoas de 18 a 34 anos de idade, é mais provável que elas tenham planos de seguro que aumentaram grandemente de valor e possuam um plano de poupança-pensão. Elas também serão financeiramente estáveis e menos endividadas. É menos provável que tenham um financiamento de automóvel, uma hipoteca, ou um débito de cartão de crédito (*Wall Street Journal*, 12 de dezembro de 1997).

Aqui estão alguns outros dados sobre os 35 milhões de americanos com 65 anos de idade ou mais, desenvolvidos com base no censo de 2000:

— Para cada 100 mulheres acima de 65, há apenas setenta homens. A relação entre o número de mulheres e de homens aumenta à medida que eles envelhecem.
— 14 por cento dos americanos com 65 anos de idade ou mais velhos está dentro do mercado de trabalho civil.
— 4,5 por cento deles estão mantendo a casa.
— 49.000 deles faziam faculdade em outubro de 2000.
— 72 por cento deles votaram na eleição presidencial mais recente, um resultado mais elevado que em qualquer outra faixa etária.
— 81 por cento têm casa própria.

Os profissionais de propaganda dizem que concentraram os seus esforços nos mais jovens porque a probabilidade de trocarem de marcas é maior que entre os consumidores mais velhos. No entanto, há fortes indicações de que a lealdade à marca está declinando em todas as faixas etárias, mas mais abruptamente entre consumidores acima dos 60 anos (*American Demographics*, novembro de 2000).

Esse comportamento do anunciante confunde Richard A. Lee, chefe da empresa de consultoria High Yield Marketing, de Saint Paul, Minnesota. "É difícil de entender", observa Lee, "por que os anunciantes ainda não conseguem desviar os olhos dos consumidores adolescentes, com 20 anos e no início da casa dos 30 anos, numa época em que o poder aquisitivo está se tornando progressivamente mais concentrado entre as pessoas com 50 anos ou mais" (*American Demographics*, janeiro de 1997).

A preponderância de evidências — assim como o seu próprio processo de envelhecimento pessoal — poderia muito bem persuadir os profissionais de marketing a ampliar os seus alvos. Não há nenhuma dúvida de que o mercado maduro crescerá em importância nos próximos anos à medida que os mais idosos constituam um segmento ainda maior do total de gastos. Em 2025, o número de pessoas nos Estados Unidos com 65 anos ou mais crescerá 80 por cento, ao passo que o número de crianças e adultos em idade de trabalhar aumentará apenas 15 por cento.

Essa tendência deve promover a noção de mais produtos direcionados ao mercado mais velho e mais propaganda adequada à faixa etária. Os profissionais de marketing poderiam considerar também adaptar o slogan do velho Oldsmobile para esse setor em desenvolvimento: "Estes não são os cidadãos idosos do seu pai".

O MERCADO FEMININO

As mulheres passaram por impressionantes mudanças de papel desde o fim da Segunda Guerra Mundial, mas algumas tendências a longo prazo mostram sinais de redução da velocidade ou até mesmo inversão. O aspecto mais notável da evolução na posição social das mulheres durante os últimos vinte anos foi o declínio da taxa de natalidade nos Estados Unidos, ao lado de um percentual crescente de mães no mercado de trabalho. Em 1995, 55 por cento das mulheres com filhos com menos de 1 ano de idade estava de volta ao mercado de trabalho. Entre aquelas com faculdade completa, 68 por cento estavam no mercado de trabalho. Em 2000, no entanto, a explosão no número de mães trabalhando começou a perder a velocidade. Os números do Censo mostram que a participação no mercado de trabalho de mães com filhos pequenos foi menor em 1998, a primeiro queda desde 1976, ano em que a agência começou a manter estatísticas de mães no trabalho. "As diminuições aconteceram principalmente entre mães no mercado de trabalho com 30 anos e/ou mais, mulheres brancas, mulheres casadas vivendo com o marido e mulheres que tinham completado um ou mais anos de faculdade", relata o analista do Censo americano Martin O'Connell (informativo à imprensa do Censo americano, de 18 de outubro de 2001). O mesmo estudo não encontrou nenhum declínio na participação no mercado de trabalho entre as mães de origem hispânica e afro-americanas com diploma de escola secundária ou abaixo. Elas tenderiam a se manifestar em lares de mais baixa renda, o que indicava uma maior necessidade de participar do mercado de trabalho.

Serão precisos muitos mais anos para determinar se a tendência de queda da participação no mercado de trabalho irá continuar, embora seja improvável que haja uma diminuição percentual considerável. Também deveríamos nos lembrar que esse declínio aconteceu durante uma época de crescimento sem precedentes da economia, ao lado de baixos índices de desemprego, inflação baixa e baixas taxas de juros. Será interessante observar se o desaquecimento da economia de 2001 a 2002 motivará mais mães a voltar a trabalhar.

Dados sobre os padrões da participação no mercado de trabalho devem ser importantes para os profissionais de marketing por duas razões básicas. Uma é que a mulher ou a mãe que trabalha tem hábitos de compra muito diferentes das mulheres que não trabalham fora de casa. Elas gastam mais dinheiro em roupas, alimentos prontos, transporte e várias outras categorias de produto. A mulher que trabalha também é mais difícil de atingir pela mídia tradicional. Elas certamente não assistem a novelas durante o dia como as mães que não estão no mercado de trabalho.

Assim como há uma forte correlação entre formação superior e mães no trabalho, também há uma correlação entre educação de nível mais alto e taxa mais baixa de natalidade. As coisas acontecem da seguinte maneira: a mulher que faz faculdade tende a se casar com mais idade e ter o primeiro filho com mais idade. Ela também tem menos filhos. O que temos atualmente é um aumento constante no número e no percentual de mulheres que chegam à faculdade. As mulheres respondem por cerca de 55 por cento dos bacharelados no país, assim como aumentou de maneira impressionante o seu percentual na graduação em direito, medicina, administração de empresas e outras áreas. À medida que mais mulheres chegam à faculdade, esse fator tende a baixar a taxa de natalidade.

Estatísticas do Censo americano indicam que, entre todas as mulheres, a idade média para o primeiro casamento era de 25,1 ano em 2000, contra 20,3 anos em 1950. A idade média das mulheres com faculdade seria maior que a da média nacional.

Uma tendência demográfica importante com respeito às mulheres é o aumento elevado nos partos de mães solteiras. Em 1980, 18,4 por cento dos partos americanos eram de mulheres solteiras. Em 2000, esse índice tinha aumentado para 33,2 por cento. Ao contrário do que muita gente poderia acreditar, a porcentagem de adolescentes solteiras que têm filhos caiu durante vários anos. O aumento está entre as mulheres na casa dos 20 anos.

Talvez relacionada aos partos de mães solteiras esteja outra tendência, o número crescente e a porcentagem de homens e mulheres que não pretendem se casar. O percentual esperado chega a 10 por cento. Os motivos para isso variam desde a aceitação cada vez maior da homossexualidade até uma maior independência econômica das mulheres.

O MERCADO JOVEM

É quase impossível fazer uma análise rápida dos jovens como consumidores porque eles mudam de hábitos e opiniões continuamente durante os anos de formação. Mas há uma constante que podemos considerar. Em praticamente qualquer idade, os jovens são mais amadurecidos que os pais à mesma idade. "Na era da Internet e da multimídia, a mocidade atual está se desenvolvendo mais rápido", diz um relatório para a imprensa da Mintel Intelligence Group Ltd. "O seu gosto costuma ser mais sofisticado e eles têm muito mais escolhas que os pais à mesma idade" (boletim à imprensa da Mintel, julho de 2002).

Um dos aspectos da juventude que os profissionais de marketing deveriam considerar é a maneira como eles consomem a mídia. Temos hoje mais de uma geração de adolescentes que foram expostos a jogos eletrônicos, telefones celulares e computadores. Sentar-se diante de um monitor e teclado não é grande coisa para eles.

Talvez por causa dessa orientação tecnológica, os jovens tendem a trocar continuamente de um meio para outro, até mesmo curtindo mais de um ao mesmo tempo. Uma pesquisa de 2001 feita por Grunwald Associates descobriu que entre meninas adolescentes que usam computadores em casa, 86 por cento ouvem rádio ao mesmo tempo. Não há dados sobre quantas estariam também ao telefone, mas os pais de adolescentes podem imaginar essa cena.

Não estou a par de nenhuma pesquisa sobre o assunto, mas cheguei a identificar essa característica dos jovens como de "amostragem". Isso não é diferente da noção de "petiscar" que os pesquisadores identificaram na década de 1980. Os americanos, em especial profissionais jovens, cada vez mais faziam as refeições fora de casa. E algumas vezes não eram exatamente refeições: café com rosquinha à guisa de desjejum, um hambúrguer rápido no McDonald's, uma taça de vinho e *hors-d'oeuvres* numa recepção em lugar do jantar. Os jovens de hoje parecem nunca se comprometer com um único meio, sempre experimentando o que surge em outros lugares. Talvez seja o resultado de sempre ter desfrutado uma opção enorme de alternativas para testar. E a mídia parece suprir essa inclinação.

Os ataques terroristas de 11 de setembro de 2001 incentivaram a televisão a desenvolver o chamado *crawl*, ou "legenda-rolante", com resumos de notícias correndo ao fundo da tela da televisão, não importa que programação esteja sendo transmitida. Desde aquela ocasião, isso resultou em um verdadeiro mostruário diversificado de informações, conforme se pode ver regularmente na Headline News Network. Eis aqui o que costuma estar disponível em uma única tela da HNN: no canto superior direito da tela, um locutor anuncia um tornado em Oklahoma; imediatamente à esquerda deste quadro, vê-se a imagem de um ciclone, e abaixo dele uma legenda: "Parecia um trem atropelando a casa"; mais abaixo entra a legenda-rolante; abaixo desta, projetam-se um a um os resultados de competições esportivas, tanto profissionais quanto de campeonatos universitários; à direita, na parte inferior da tela do locutor, são projetados índices do mercado de ações e as taxas de juros; mais abaixo, são apresentadas as previsões meteorológicas, região por região, mostrando um mapa e um relatório breve, como: "Frio e chuvoso." Às vezes eles conseguem espremer um furo de notícia sobre uma celebridade nessa confusão.

Isso é o que eu chamaria de suprema amostragem de informações, e bem que poderia haver um aparelho de transmissão de notícias na mídia que atraísse a geração mais jovem. Também deveríamos considerar os formatos do *USA Today* e do rádio exclusivamente de notícias como variações desse tipo de amostragem de informações. Os profissionais de marketing ainda precisarão determinar que tipo de mensagens publicitárias complementariam esse estilo de transmissão noticiosa.

Um bom sinal para os profissionais de marketing é que o número de jovens nos Estados Unidos subirá a um patamar modesto durante a próxima década, ao contrário dos declínios observados na década de 1990.

O FATOR IMIGRAÇÃO

Talvez a mudança mais considerável nos dados demográficos americanos nos últimos vinte anos tenha sido o rápido aumento no número de imigrantes, especialmente dos latino-americanos e asiáticos. Eis uma estatística que pode oferecer uma perspectiva mais clara da imigração: entre 88 por cento dos alunos do ensino fundamental e médio de origem asiática e das ilhas do Pacífico, pelo menos um dos pais era de origem estrangeira. Dentre os estudantes hispânicos, cerca de 65 por cento tinham um dos pais nascido no exterior. Compare esses dados ao número de estudantes afro-americanos, dos quais 11 por cento tinham um dos pais nascido no exterior, e dos estudantes brancos não hispânicos, com 7 por cento.

Pode-se ter uma idéia da constituição étnica do mercado adulto de amanhã avaliando os estudantes atuais. Em 1972, 79 por cento dos alunos do ensino fundamental e médio eram de brancos não hispânicos, contra 63 por cento em 1999, e essa tendência persistirá a menos que haja mudanças radicais nas leis de imigração (relatório do Censo americano, 13 de março de 2001).

Em 1990, os especialistas em demografia previam que os hispânicos se tornariam a maior minoria nos Estados Unidos em 2010. Eles estavam errados; os hispânicos atingiram essa marca em 2002, com uma população de 35,3 milhões (sem contar os 3,8 milhões dos residentes em Porto Rico), ligeiramente maior que a população afro-americana.

O crescimento desse mercado minoritário obviamente cria desafios para qualquer um que esteja vendendo bens e serviços. Requer uma análise do uso do idioma, cultura, educação e hábitos de compra que são diferentes dos da população em geral. Há vários pontos importantes a considerar quanto ao grupo étnico hispânico:

— 58 por cento de todos os hispânicos nos Estados Unidos são de origem mexicana.
— 50 por cento da população hispânica do país moram na Califórnia e no Texas.
— 90 por cento dos hispânicos vivem em áreas metropolitanas.
— A idade média dos hispânicos nos Estados Unidos é 25,8 anos, quase 10 anos menos que a média global do país.
— Os hispânicos são na sua esmagadora maioria católicos romanos. A população católica nos Estados Unidos é calculada em 62 milhões, o que significa que mais da metade pode ser de hispânicos.

O Censo americano projetou o crescimento entre os grupos raciais entre 2001 e 2010; veja a Tabela 11.3.

Assim como os hispânicos, a população asiática nos Estados Unidos cresceu mais de 50 por cento na década de 1990, aproximando o número total de 12 milhões em 2002. De acordo com a política do Censo americano, na categoria étnica de asiáticos estão incluídos os provenientes das ilhas do Pacífico. A idade média dos asiáticos nos Estados Unidos é de 31,1 anos, mais velhos que os hispânicos, mas ainda mais jovens que a média da população como um todo.

O termo *asiático* abrange uma vasta gama de pessoas, de japoneses a nascidos no Oriente Médio, abrangendo culturas, idiomas e religiões diferentes. Os asiáticos são diferentes de qualquer outro grupo de estrangeiros

TABELA 11.3 PROJEÇÃO DA POPULAÇÃO AMERICANA POR RAÇA, 2001-2010

	POPULAÇÃO		
Raça	**Julho de 2001**	**Julho de 2010**	**Percentual de Mudança**
Branca	227.883.000	241.770.000	6,1%
Negra	35.784.000	39.982.000	11,7%
Indígena Americana	2.471.000	2.821.000	14,2%
Asiática e das Ilhas do Pacífico	11.665.000	15.289.000	31,1%
Hispânica	33.616.000	43.688.000	30,0%

Fonte: Censo americano: projeções da população residente total por grupos de idade a cada cinco anos, por raça e de origem hispânica com categorias de idades especiais. Middle Series, 1999 a 2010. (Adaptação do autor.)

que migraram para os Estados Unidos. Em vez de "*essa massa de gente cansada e pobre que se amontoa na ânsia de respirar liberdade*" — nas palavras de Emma Lazarus, do poema inscrito na Estátua de Liberdade[26] — muitos asiáticos têm educação de nível superior e são mais abastados que a maioria dos outros grupos étnicos. A renda familiar média nos lares asiáticos é superior a 55.500 dólares por ano, e 44 por cento deles com 25 anos de idade ou mais cursaram uma faculdade. Eis aqui mais algumas dicas:

— O maior grupo étnico asiático nos Estados Unidos é o chinês, seguido pelo indiano, coreano, filipino e vietnamita.
— 45 por cento da população de origem asiática do país vivem em três áreas metropolitanas: Los Angeles, Nova York e San Francisco.
— 58 por cento dos residentes do Havaí declaram a sua origem étnica como asiáticos.
— 10,7 por cento dos asiáticos e das ilhas do Pacífico vivem abaixo do nível de pobreza, exatamente a metade da taxa de pobreza dos hispânicos.

Os profissionais de marketing vão se deparar com números e porcentagens crescentes de imigrantes nos próximos anos. Como chegar a esses grupos será um desafio constante. Será menos difícil para a primeira geração de hispânicos porque a maioria deles fala o espanhol, ao passo que os

26. Poema este intitulado The New Colossus (O Novo Colosso, numa referência ao Colosso de Rodes) e que começa com o célebre verso "*Give me your tired, your poor, your huddled masses*". (N. do T.)

asiáticos podem falar um sem-número de idiomas. O que vem em seguida é aprender a lidar com a segunda geração e a sua assimilação na cultura americana — se é que há essa coisa de cultura americana.

COMPREENDENDO AS MUDANÇAS DE VALORES

Os dados demográficos dizem quem somos. Os dados psicográficos dizem como pensamos e em que acreditamos. Estes últimos podem ser mais difíceis de predizer que os anteriores, mas é necessário analisar e entender essas características humanas em vários níveis de marketing.

Em 1997, a companhia de seguros Northwestern Mutual Life Insurance Company contratou a empresa de pesquisa Louis Harris & Associates para conduzir um estudo entre os calouros de faculdade que seriam a primeira classe a se formar no novo milênio. Eis alguns dos resultados mais indicativos daquela pesquisa:

— 77 por cento dos estudantes acreditavam firmemente que ter relações familiares é um dos caminhos para a felicidade.
— 61 por cento no mínimo concordaram de algum modo que o divórcio é uma solução aceitável se duas pessoas não estão satisfeitas no casamento.
— 37 por cento concordaram que o casamento é a pedra angular dos valores sociais.
— 68 por cento concordaram que o sexo pré-marital é certo "quando duas pessoas se amam", e 64 por cento concordaram que viver junto antes de se casar é uma boa idéia.
— 33 por cento disseram que ganhar um alto salário é uma parte muito importante na carreira, e só 26 por cento concordaram que um trabalho de alto prestígio é muito importante (Northwestern Mutual Life Insurance Company, Geração 2001).

A propósito, essas pessoas já se formaram e será interessante observar se os seus pontos de vista mudaram durante os anos de faculdade.

Algumas dessas opiniões obviamente representam mudanças em relação às gerações anteriores, como os sentimentos sobre sexo pré-marital e viver junto antes de casado. O aumento na porcentagem de nascimentos entre mulheres solteiras, observado anteriormente, é uma evidência de outra mudança de valores. Nem todo mundo está à vontade com essas mudanças, mas não se pode negá-las. Isso é parte integrante dos contínuos conflitos entre as gerações no mundo.

As mudanças nos dados psicográficos do consumidor não são fáceis de predizer com precisão, mas os profissionais de marketing têm de tentar fazê-lo para estar preparados para o futuro. Eles também deveriam entender por que essas mudanças acontecem.

Por exemplo, os números do Censo americano do início da década de 1990 indicava que 90 por cento dos adultos jovens esperavam se casar em algum momento. Os 10 por cento restantes que não esperavam se casar eram duas vezes maiores que nas gerações anteriores. Por quê? Eu diria que a maior independência econômica das mulheres e a crescente aceitação da homossexualidade são os dois fatores mais importantes. As pessoas não são mais tão pressionadas pela sociedade a se casar como eram antigamente.

Há muitas teorias sobre as variações dos dados psicográficos dos americanos. Diversas são importantes para o marketing e a propaganda, e a única que eu gostaria de mencionar é a importância crescente das novas experiências, ao invés do dinheiro e dos bens materiais. Admito que essa seja uma teoria a que dou muita atenção em particular, mas eu verdadeiramente acredito que ela possa ser a base do marketing.

Qual é a melhor maneira para motivar os funcionários — oferecer um televisor em cores de 500 dólares ou uma permanência de 500 dólares em um spa? A menos que trabalhe com você o único americano que não tenha uma TV em cores, o spa ganharia sempre. É um incentivo mais forte porque envolve uma vivência.

Quando as pessoas atingem um certo nível de riqueza e posse de bens materiais, a única coisa pelas quais elas anseiam são novas experiências. Isso inclui fazer caminhadas no Nepal, navegar pelo Nilo, alugar uma casa típica na Toscana, praticar canoagem em cachoeiras, escalar paredões, viajar de balão, observar baleias, saltar de *bungee-jumping*, visitar o Walt Disney World, ou qualquer outra coisa em que a pessoa se envolva em alguma atividade.

O propósito de ter um tipo diferente de experiência não é a principal razão pela qual integrantes da classe média alta usam drogas ilegais? Um milionário chamado Steve Fossett gastou boa parte da sua fortuna tentando circunavegar o globo em um balão de ar quente, o que conseguiu finalmente em 2002. Ele já atravessara a nado o Canal da Mancha e participara da corrida de trenós puxado por cães de Iditarod no Alasca. A única coisa que impede milhões de outras pessoas a realizar essas proezas é que elas não têm o dinheiro de Fossett para torrar.

Os mais comentados programas de televisão nos últimos dois anos foram os assim chamados *reality shows* como *Survivor* e *Big Brother*. Apesar da natureza desagradável e dos baixos orçamentos desses programas, as experiências incomuns dos participantes atraíram grandes audiências, especialmente a cobiçada faixa dos 18 aos 34 anos pelos quais os profissionais de marketing anseiam.

Essa não é necessariamente uma idéia em absoluto. Muitos pesquisadores acreditam que esse apetite por experiências tem afinidade com uma teoria divulgada em meados da década de 1900 pelo psicólogo Abraham Maslow, que descobriu que os seres humanos têm uma "hierarquia de necessidades". Essas variam das fundamentais, como alimento, segurança, inclusão e amor, até a necessidade mais elevada, a realização pessoal. Quando todas as necessidades básicas de uma pessoa são atendidas, essa pessoa busca algo além. Hoje, poderíamos propor que novas experiências podem satisfazer essa necessidade de realização pessoal.

É irônico que possa haver uma teoria tão sofisticada intelectualmente por trás de tamanha baixaria na televisão, mas eu exponho esses fatos como algo que os profissionais de marketing possam ruminar enquanto tentam solucionar os mistérios do universo em constante mutação dos consumidores. À parte o aspecto original de alto nível, o interesse por esses programas de televisão só deve continuar enquanto eles oferecerem novas experiências ao abrir o envelope fatal que atrai audiências consideráveis. Provavelmente podemos predizer que o próximo grande passo no mundo da televisão em busca de novas experiências será a oferta de interatividade simultânea aos espectadores, permitindo-lhes participar dos programas.

UMA OUTRA OPINIÃO...

A Propaganda Adora Entreter; o seu Verdadeiro Objetivo Deveria Ser Provocar Entusiasmo

STEPHEN F. UNWIN

Temos negligenciado o desejo do consumidor. É por isso que os consumidores estão tendo tanta folga nesta recessão. Que a Web foi limpa da noite para o dia. Que muitos varejistas e centros de turismo de Natal começaram a se lamentar.

A propaganda atual está tão ocupada em olhar sobre o ombro para ver o que os analistas estão dizendo sobre o valor das ações da empresa, e o que os concorrentes estão dizendo nos anúncios, que o consumidor foi deixado de fora dos acontecimentos. Ela oferece economia e descontos mas pouca vibração para nos fazer ansiar pelo produto nas nossas mãos o mais rápido possível. A paixão de possuir e o êxtase de usar ficaram em segundo plano.

Os consumidores atuais estão desencantados com os bens e serviços propriamente ditos e só desejam aquele usurpador do consumo de massa — o dinheiro. Vamos admitir. Nós nos tornamos um país de guardadores de dinheiro. Abrimos mão da pura alegria de possuir bens. A empolgação está toda no crédito ampliado, nas poupanças colossais, e nada de pagamentos até 2003 — não nos produtos em si mesmos.

Na década de 1970, escrevi um artigo para o *Journal of Marketing* intitulado: "A Teoria Sincronística da Propaganda". Nele eu dizia que a função da propaganda era acelerar o consumo de massa para mantê-lo equilibrado com a produção em massa. Massa é igual a velocidade, e seria melhor nos assegurarmos de que os consumidores estariam dispostos a adquirir os frutos da economia avançada. Providenciar o equilíbrio entre a oferta do fabricante e a demanda dos consumidores não é mais o trabalho da propaganda. Isso é feito pela produção, pela distribuição e pelo financiamento zero do sistema *just-in-time*. A propaganda atual muitas vezes parece castigar os consumidores, não os elogia ou encoraja a procurar artigos sempre melhores.

Onde estão os sexólogos que guiaram ou sublimaram as nossas tendências às belezas plásticas ou metálicas? Onde está Dichter, o decano da motivação? Ogilvy, o rei da imagem? Reeves, o cientista das proposições de venda inigualáveis? E Ries, o perpetrador do posicionamento? Fazemos jus a algum deles? Será que pelo menos os conhecemos ou sabemos o que propunham?

Isso talvez explique por que tantos anúncios de hoje se ligam ao setor de entretenimento. A TV tem esporte espetacular, julgamentos espetaculares, jornalismo espetacular. Hoje ela participa da corporação do entretenimento. Eles costumam tratar do negócio como uma grande piada; a marca, o benefício da marca, e até mesmo o seu nome é sufocado em risadas. Alguns anúncios propõem enigmas. Eles nos desafiam a adivinhar a que vieram e até mesmo quem os fez enquanto não vem o final. Outros anúncios felicitam e se felicitam. Eles dão prêmios. Eles se enfeitam e fazem pose e adulam.

Os anúncios tornaram-se a própria moeda corrente. Eles não são mais eficientes em relação ao que custam, nem instrumentos de marketing proativos. Alguns anunciantes entregaram a sua produção a Hollywood. Hollywood se diverte com a oportunidade de dirigir epopéias comerciais com elencos de milhares de dólares, efeitos especiais e minidramas, mas "Onde está o conteúdo?"

Os custos de produção da propaganda devem ser os mais inflacionários de toda a economia. Como um varejista pioneiro, John Wanamaker recebeu o crédito pela afirmação: "Sabemos que a metade da nossa propaganda é desperdício..." Mas isso é ridículo!

CASTELO DE CARTAS

Por que então, perguntamos, a indústria da Web desmoronou como um castelo de cartas? Ninguém sabia para que serviam os sites e qual era realmente o único benefício? Será que esperavam que nos tornássemos um país de reclusos e que abandonássemos o nosso transporte pessoal, as nossas rodovias e os nossos centros de compras?

A superafluência criou um consumidor muito consciente dos preços, não tão preocupado com marcas. Depois de uma dúzia de fusões, é difícil manter uma identidade de marca ilusória. Quando se generaliza a mercadoria e tudo converge para o necessário, sobra pouco espaço para a emoção. A única preocupação é: "Quanto custa?" Estamos de volta a Adam Smith e às suas medidas padronizadas de trigo. Preço e promoções de preços tomaram o lugar das promoções de vendas no composto de marketing.

No entanto, a propaganda age melhor quando atua para despertar a consciência do consumidor, induzi-lo a testar e usar repetidamente produtos e serviços às vezes de setores inteiramente novos que ninguém nunca sequer imaginou. Com a onda da produtividade tecnológica, cada vez menos pessoas precisam ser empregadas na agricultura, na indústria manufatureira e agora no setor de serviços. Que trabalho restará para nós todos? Ampliar o que já foi começado, oferecendo novas experiências, novas oportunidades culturais, novas atividades espirituais, novas revoluções ambientais e muitos outros campos novos. O número de treinadores pessoais subiu nada menos que 1.000 por cento em cinco anos. Há uma verdadeira febre de construção de museus em progressão no sul do país. Os atuais surfistas da Web estão mais interessados em informações religiosas do que em leilões ou em bancos. Até mesmo fabricantes de automóveis do passado, como os famosos Box-Car City, embarcaram em programas de produção acelerada para o relançamento no país de novos modelos lustrosos, sensuais, "que todo mundo quer ter".

Essa é a nova fronteira da propaganda, fazer com que as pessoas queiram comprar algo que nunca tiveram antes.

A teoria sincronística estava certa. A propaganda desempenha realmente uma ação equilibradora entre a produção em massa e o consumo de massa, oferta e procura. Ela apenas mudou o seu curso em 180 graus. Agora, precisamos sair dessa reversão para toda velocidade à frente e criar uma nova e verdadeira abundância para os consumidores exigentes.

Stephen F. Unwin (wss1110@hotmail.com), ex-executivo internacional de propaganda e professor de propaganda, é presidente da Business Dynamics, uma consultoria de propaganda e marketing de Kingwood, Texas. Este texto foi publicado originalmente como um artigo da seção "Ponto de Vista" da edição de 25 de fevereiro de 2002, do Advertising Age.

CAPÍTULO 12

EXISTE UM FUTURO PARA A PROPAGANDA?

O Caminho à Frente é Sinuoso e Traiçoeiro, e Mapas Confiáveis Estão Escassos

Sim, o título deste capítulo é um asteísmo, pura ironia. A propaganda tem futuro. No entanto, enquanto fazia as pesquisas e entrevistas iniciais para este livro e comentava com as pessoas do meio publicitário sobre qual seria o título, mais de uma vez a pergunta que me faziam era: "Você quer dizer que vamos ter realmente um futuro neste negócio?"

Sei que estavam brincando. Mas a freqüência de respostas como essa confirmou a minha idéia inicial de que muitos profissionais das várias especializações de marketing estavam mais que um pouco inseguros quanto ao destino da propaganda. Não é de surpreender. As mudanças nos últimos vinte anos, até mesmo dez anos, foram radicais e perturbadoras.

A maioria das pessoas não aprecia mudanças. Especialmente se são pessoas que gostam do que fazem, estão satisfeitas com o seu trabalho e ganham com ele mais do que o suficiente para viver. É duro imaginar que algumas dessas pessoas ou todas elas vão embora. Eu vivenciei esse tipo de mudança. Talvez o período mais difícil da minha vida tenha sido o início de 1978. Eu redigia uma coluna diária sobre propaganda e marketing para o *Chicago Daily News*. Era um jornal excepcional, com uma tradição respeitável de grande jornalismo e mais de uma dúzia de prêmios Pulitzer para provar isso. Tínhamos uma equipe de jornalistas talentosos que realmente se respeitavam e gostavam uns dos outros. (Depois de todos esses anos, ainda mantemos um boletim informativo mensal da "confraria" e nos reunimos pelo menos uma vez por ano.)

Acima de tudo, eu fazia um trabalho que adorava. O negócio da propaganda naquele momento era cheio de pessoas interessantes e instigantes. Elas davam grandes festas e faziam uma propaganda inovadora. A vida era boa. E então, um dia, o editor do jornal entrou na editoria local e anunciou que ia fechar a seção.

Ninguém quer passar por esse tipo de mudança. Eu não gostei, e foram precisos muitos meses e duas mudanças de emprego antes de me sentir à vontade e seguro novamente.

Isso não quer dizer que as agências vão começar a fechar sem mais nem menos como aconteceu com os jornais vespertinos nas décadas de 1960 e 1970. Mas é absolutamente certo que o negócio de agência, depois de uma década de mudanças, vai se deparar com mais mudanças ainda no futuro. Acredito firmemente que a noção de agência de propaganda passará por uma total remodelação e reinvenção para sobreviver e progredir nos próximos anos.

Essa não é uma revelação para os que trabalham no setor. Eles já passaram por muitos traumas por causa da rápida consolidação das empresas. Conheço vários profissionais de agências de alto nível que estão conscienciosamente trabalhando em novas perspectivas para o negócio e para as suas empresas. Eu os aplaudo.

Na verdade, essa noção de redefinição foi talvez o elemento fundamental na composição do título deste livro. Originalmente, considerei títulos como *A Redefinição da Propaganda* ou *Propaganda Redefinida*. Uma das minhas sugestões foi *Propaganda: Nova e Melhorada! Será?* Outro foi *Não a Chamam mais de O Jogo da Propaganda*. Essas idéias todas foram relegadas ao chão da edição — talvez com um bom motivo.

Não obstante, é imperativo que qualquer setor empresarial que enfrente uma torrente de desafios necessite redefinir as suas funções e de que serve para os clientes. Um setor poderia progredir durante décadas por causa do serviço que presta. Mas se está sendo ameaçado por uma nova concorrência, pelo mercado que se evapora, por uma mudança nas atitudes dos consumidores, por uma tecnologia incrivelmente nova, por uma tremenda consolidação, ou por qualquer outra mudança monumental, as únicas alternativas disponíveis estão prenunciadas naquele título do meu artigo de 1992 para o *Advertising Age*: "Mudar ou Fechar".

Então, o que o futuro reserva para todas as partes componentes do setor? Não somos adivinhos, mas podemos analisar as tendências e fazer estimativas sensatas sobre para onde rumamos. Assim, vamos dar uma olhada em cada uma das diversas partes componentes do negócio e tentar compor cenários razoáveis para os próximos cinco anos.

AGÊNCIAS DE PROPAGANDA

Por causa da extensa consolidação ocorrida na última década, novas consolidações acontecerão em um ritmo mais lento no futuro imediato. Parte disso é uma reação à profunda investigação das fusões pelo governo por causa da ruína repentina da Enron. Uma pausa nas consolidações a esta altura também é boa porque dará aos adquirentes uma oportunidade de digerir as novas propriedades e posicionar-se eficazmente dentro do guarda-chuva corporativo.

Mesmo a um ritmo mais lento, haverá mais fusões e aquisições, mas é pouco provável que se forme outra grande holding comparável às atuais Quatro Grandes.

A maior dúvida em relação à estrutura é se as quatro holdings permanecerão intatas. Eu acredito que não. Todas elas são conglomerados multinacionais compostos de dúzias de empresas diferentes, de tamanhos diferentes, culturas diferentes e personalidades diferentes. Nem todos os casamentos são um paraíso, por mais feliz que o casal pareça no dia de casamento.

Muitas dessas aquisições aconteceram porque os proprietários estavam dispostos a se aposentar e encontraram uma oportunidade para receber uma remuneração compatível com o valor da propriedade. As operações adquiridas nessas circunstâncias têm maior probabilidade de permanecer dentro das holdings, sob nova administração.

A situação é diferente no caso de operações com um líder empreendedor de peso que aceitou a aquisição porque ela proporcionaria à empresa o acesso a mais capital e maiores clientes. Não é incomum uma administração desse tipo sentir-se tolhida pela hierarquia corporativa. Os ex-proprietários podem preferir recomprar a empresa da matriz. Isso se aplica especialmente nos casos em que ocorra uma desvalorização das ações da subsidiária. É quase possível assegurar que haverá circunstâncias dessas nos próximos dois anos. Acima de tudo, às vezes uma unidade adquirida simplesmente não se ajusta ao quebra-cabeça corporativo da maneira que parecia se ajustar antes da fusão.

Também não é impossível que cheguemos a ver uma grande agência romper com a sua holding matriz em um futuro próximo. Poderia ser uma agência de propaganda com um CEO forte que não se ajuste à estrutura corporativa. É menos provável de acontecer com uma empresa que teve o capital aberto antes da aquisição, mas aconteceram defecções em outros setores e também podem acontecer na propaganda.

Também é provável que uma subsidiária que não seja de propaganda possa romper porque não se beneficiou com a propriedade corporativa. Isso tudo acontece no caminho das empresas de capital aberto.

No entanto, é mais provável que se torne mais comum os clientes ditarem a estrutura e a propriedade das suas agências de propaganda. Em vez de uma conta simplesmente mudar de uma agência para outra, podemos prever uma situação em que um grande cliente insatisfeito com o relacionamento com a holding possa articular a defecção do seu pessoal da agência e subscrever a formação de uma nova agência. Isso já aconteceu no passado por causa de conflitos indisfarçáveis entre clientes e acontecerá no futuro desde que as holdings continuem controlando centenas de marcas e empresas.

Essas agências independentes patrocinadas pelo cliente não terão nenhuma necessidade de fazer parte de quaisquer das holdings. As holdings realmente não terão nenhuma vantagem a oferecer a esses estabelecimentos evadidos. A pergunta lógica a ser feita é se os clientes irão desfrutar de algum benefício negociando com uma agência de propaganda ou qualquer outra unidade de serviços de marketing de uma holding. Eu acho que não.

QUEM CONTROLARÁ A INTEGRAÇÃO?

O que ainda está para ser definido é até que ponto as holdings irão se envolver com o desafio da integração dos seus serviços. Ao longo dos anos, elas compraram uma ampla variedade de empresas em diferentes especializações dentro do marketing, mas não houve muita coordenação entre as várias disciplinas.

Conforme disseram dois inovadores executivos de agência citados anteriormente neste livro, é necessário o surgimento de algum tipo de empreiteiro-geral ou maestro para direcionar as estratégias para os clientes e coordenar as várias áreas de marketing de modo a formar uma campanha coesa.

Em muitas outras disciplinas empresariais, esse é o tipo de atividade que normalmente poderia ser executada por consultores administrativos externos. As holdings gostariam de preencher esse vazio, mas elas enfrentam uma luta árdua por dois motivos. O primeiro é que elas tendem a ser dominadas pelos seus componentes de agência de propaganda, em vez de pelos componentes de marketing direto, promoção de vendas ou desenvolvedor da Web. Outro problema é a idéia de que uma holding poderia não ser muito objetiva na tarefa de formar a rede mais eficaz de empresas para trabalhar na campanha do cliente. Os clientes presumiriam que a agência estaria comprometida em só passar trabalho para outras empresas da holding. Neste ponto, os clientes estariam bem certos nessa avaliação.

A suprema ameaça a essa posição das holdings é que algumas bem conhecidas e altamente respeitadas empresas de consultoria administrativa desenvolveriam uma experiência significativa em administração de marketing. Os consultores poderiam se posicionar para ser supervisores objetivos da estratégia de marketing corporativo; usurpando um papel decisivo que as holdings amariam de paixão desempenhar.

Isso não se diferencia da função que os consultores administrativos e empresas de contabilidade desempenharam anos atrás na gestão estratégica de tecnologia e serviços de informação. Eles não estavam no negócio da tecnologia, portanto eram capazes de atender às necessidades do cliente sem noções preconcebidas ou preconceitos. E os clientes amaram essa imparcialidade.

Ao mesmo tempo, é possível que os consultores especializados na contratação de agências também possam tentar usurpar essa função de integração estratégica. Esse cenário, contudo, é menos provável. Embora tenham desenvolvido uma experiência específica em avaliação e seleção de agências, eles geralmente carecem de um relacionamento de longa data entre os clientes corporativos como consultores gerais.

Os grandes consultores administrativos estão em uma posição mais vantajosa para assumir esse papel porque já estão se relacionando com os gerentes corporativos dos mais altos níveis. Eles já estão familiarizados com algumas das pesquisas e análises mais sensíveis, sondando os segredos mais profundos e mostrando os mais graves pontos fracos da corporação. Eles também têm maior probabilidade de ser considerados mais imparciais pelos clientes porque não estão no negócio de marketing.

Também é possível que os clientes corporativos possam tentar estabelecer esse tipo de função de planejamento estratégico internamente. Isso se aplica especialmente no caso de grandes corporações com muitas subsidiárias, marcas e produtos diferentes. O grupo estratégico interno poderia operar como um tipo de "equipe da SWAT", chamada por várias divisões para ajudar a desenvolver campanhas, posicionamentos, estratégia de criação ou o que quer que as unidades necessitem.

Sempre existe, é claro, uma situação política dentro das corporações que atua contra esse tipo de função interna. Também há o lado ruim do que poderá acontecer se a equipe da SWAT errar completamente o alvo, propondo uma campanha integrada que venha a se revelar um completo fiasco. É mais difícil demitir os funcionários que os terceirizados.

Essa função de coordenação e integração será provada principalmente nas agências desligadas sob o patrocínio do cliente que foram mencionadas anteriormente. Elas estariam mais bem preparadas para o papel porque estão fora do âmbito corporativo do cliente ainda que na melhor posição para ter uma ampla visão de todas as diversas funções de marketing. Elas provavelmente jamais voltem a ser chamadas de agências de propaganda.

Como se pode ver, o futuro dessa função estratégica ainda é um pouco obscuro. Se no final das contas ela for desenvolvida pelas holdings, talvez exista como uma entidade separada de qualquer outra unidade da holding. Terá de ser mais que um grupo de sujeitos da antiga agência de propaganda trocando a tabuleta da porta. O que pode acabar acontecendo é uma ou mais holdings adquirirem empresas de consultoria geral e montarem operações independentes. Será possível saber se elas são independentes quando começarem a recomendar que parte do trabalho do cliente seja designado a unidades de uma outra holding.

A COMPRA DE MÍDIA NA BERLINDA

Quando comecei a cobrir o setor de propaganda há quase 35 cinco anos, a função de compra de mídia era firmemente escondido nas agências. Embora o departamento de mídia fosse responsável por gerar praticamente todas as receitas da agência, as suas responsabilidades eram relegadas aos recém-chegados à empresa, jovens recém-saídos da faculdade ou mulheres que tinham galgado postos na hierarquia administrativa.

A situação era tão estranha que o *New York Times* publicou um editorial anos atrás sobre o fato de pessoas com apenas 22 anos de idade serem responsáveis pela compra de espaços na mídia valendo milhões de dólares. A televisão era o maior destinatário desses gastos, e a escolha baseava-se em quantos pontos os programas produziriam na classificação de audiência. Isso era cômodo demais.

Pelo menos esses compradores de mídia geralmente assistiam à televisão e tinham alguma noção da programação. Quanto às revistas, a questão era diferente. Se você fosse uma revista de informação semanal ou a *Rolling Stone*, tudo bem com você. Eles sabiam quem você era. Mas se você estivesse vendendo espaço em uma publicação de negócios, especialmente uma publicação de negócios empresariais, haveria pouca ou nenhuma chance de que os jovens compradores de mídia ao menos olhassem de relance os exemplares que você lhes enviasse como cortesia.

Admito que isso possa ser um certo exagero. Encontrei muitos diretores de mídia — mas muito menos compradores ou planejadores de mídia — que estavam realmente interessados no que fazíamos no início da *Crain's Chicago Business*. Nós estávamos não só tentando vender a nossa publicação, mas também a noção de publicação regional de negócios como um todo. Não sei dizer quantas vezes a primeira pergunta que o nosso vendedor ouvia de um comprador de mídia era: "Bem, e o que diferencia vocês do *Wall Street Journal?*"

Tudo isso mudou, é claro, uma vez que a compra de mídia passou pela mais radical transição sofrida por qualquer elemento na arena de marketing. A compra de mídia foi amplamente tirada das agências de propaganda, e o nível das comissões sobre a mídia foram cortados em 75 por cento ou mais. Mais que isso, entretanto, a compra de mídia tornou-se inacreditavelmente mais complicada do que era há 35 anos, quando as três redes de televisão regiam o mundo da propaganda. Essa complexidade crescente do universo da mídia tornará a função de compra de mídia ainda mais importante nos próximos anos, à medida que a gama de novos tipos de mídia continua a se expandir.

É certo que a compra de mídia se tornará mais estratégica à medida que essa função estiver mais envolvida com a escolha da promoção de vendas, o marketing direto, a interatividade e outras áreas fora da propaganda. E os clientes aumentarão a sua demanda de comunicações de marketing integrado, um tratamento programado que seria dirigido pelos compradores de mídia.

A BATALHA PELA ATENÇÃO DO CONSUMIDOR

É justo dizer que o desafio do futuro na arena das comunicações será a batalha pela atenção do consumidor. Não haverá a predominância de um meio isolado, como aconteceu com a televisão entre as décadas de 1960 e 1990. Sempre haverá mercados de massa, mas os anunciantes não poderão atingi-los pelas comunicações de massa, com exceção de alguns eventos que atraem uma enorme audiência.

Essa realidade irá requerer mais ênfase no que antigamente eram as atividades abaixo-da-linha, como o marketing direto e a promoção de vendas. Excetuando-se um possível endurecimento do governo quanto às leis de proteção à privacidade nos Estados Unidos, o marketing direto continuará a se expandir, mas a maior parte da expansão estará além das modalidades mais tradicionais de malas diretas de massa, telemarketing e solicitações por e-mail. A situação será diferente na Europa, onde já existem leis mais estritas em defesa da privacidade, as quais provavelmente não serão relaxadas. •

Eis a seguir o que parece provável acontecer em relação a outras modalidades de marketing:

— O *marketing de percepção* será cada vez mais importante como uma forma de resposta direta. Ser capaz de manter contato com consumidores potenciais em aeroportos, aviões, táxis e hotéis é uma maneira de driblar as leis de privacidade ao mesmo tempo não perdendo de vista o mercado de viagens. Serão instalados quiosques interativos em uma grande variedade de espaços, os quais serão tão comuns quanto as máquinas de auto-atendimento que utilizam o recurso de ATM.[27]

27. ATM = *Asynchronous Transfer Mode*, recurso usado nas chamadas *Automated Teller Machine*, que são as máquinas de auto-atendimento como as de caixa eletrônico. Trata-se de um novo padrão para transferência em alta velocidade de informação integrando diversos tipos de mídia simultaneamente — voz, vídeo e dados — todos no mesmo meio de comunicação. (N. do T.)

— O *marketing de eventos* continuará crescendo enquanto os anunciantes procurarem oportunidades de se comunicar com os consumidores em nível pessoal. Eventos aos quais os consumidores decidirão por conta própria se vão assistir irão se multiplicar. Eles já são visíveis na forma de seminários de investimento grátis por corretoras de ações, clínicas de golfe para divulgação de equipamentos e os onipresentes passeios e visitas oferecidos pelas corretoras de imóveis.

— O *patrocínio* de espaços públicos também aumentará e se expandirá, de estádios esportivos a praticamente qualquer lugar em que as pessoas se reúnam. Um exemplo é a Roundabout Theatre Company de Nova York, que aparece no American Airlines Theatre da Broadway. Chicago não tem só o Cadillac Palace Theater, mas também o Ford Center for the Performing Arts no Oriental Theater, ilustrando que as empresas automobilísticas já entraram no jogo.

— A *associação de marcas e marketing* de produtos e serviços diferentes mas complementares aumentará. Um fabricante de charutos irá se associar a um outro de conhaque e organizar um evento em um hotel ou restaurante, criando um trio de profissionais de marketing totalmente preocupado em envolver a mesma audiência demográfica. O desafio em todas essas jornadas será isolar um grupo central de clientes potenciais de alto nível e colocá-los em uma situação em que sejam expostos às marcas e produtos do cliente, longe do ambiente competitivo da propaganda na mídia tradicional.

— As *relações públicas* serão mais comuns, antes de mais nada porque haverá mais mídia à disposição dos profissionais de RP e será mais fácil obter exposição para os clientes do que conseguir tempo nas redes de TV e espaço nas revistas de circulação nacional. Basta imaginar quanto a proliferação de publicações regionais de negócios fez para ampliar as oportunidades de trabalho de relações públicas. Nos Estados Unidos, existem provavelmente mais de duzentas dessas publicações, contra apenas um punhado de publicações de negócios de circulação nacional.

A TELEVISÃO NA ERA PÓS-TELEVISÃO

Seria um óbvio exagero dizer que a televisão irá desaparecer. Mas não é um exagero predizer que o meio passará pelo mesmo tipo de reinvenção que o rádio foi forçado a fazer quando foi suplantado pela televisão na década de 1950.

A rede de TV aberta na maior parte dos casos continuará oferecendo programação pautada pelo mínimo denominador comum. A missão das redes é agregar tantos espectadores quanto puderem, independentemente da qualidade da audiência. À televisão só interessam os índices de audiência.

Às redes a cabo e por satélite também interessam os grandes índices de audiência, mas elas têm a vantagem de ser um sistema de receita dupla, pela venda de assinaturas e de programação pós-paga além das receitas com a propaganda. O grande lance a seguir, no entanto, será agregar a interatividade por cabo e satélite.

Esse avanço acrescentará todos os tipos de nuances à idéia da televisão, incluindo a participação dos espectadores na programação, especialmente em programas sem um final predeterminado. Esse tipo de programa poderia lembrar uma das mais populares peças de teatro dos últimos vinte anos, *O Mistério de Edwin Drood*. A peça baseia-se no último romance de Charles Dickens, que morreu antes de concluir o livro. Os produtores usaram o texto para compor a primeira parte da peça, um mistério no qual Drood é assassinado. No final da peça, o público é convidado a votar em quem acredita ser o assassino. O elenco então encerra a peça representando um desenlace com o assassino escolhido pelo público. A interatividade, até mesmo no entretenimento, pode ser uma atração eficaz.

Isso também poderá funcionar com os programas de perguntas e respostas, que parecem ter uma posição inabalável na televisão, não só nos Estados Unidos mas também em praticamente todos os países do mundo. Poderia ser possível alguns espectadores jogarem *Who Wants to Be a Millionaire?*[28] contra um oponente no estúdio. A televisão interativa, pelo menos nos seus primórdios, atrairá grandes audiências, no mínimo pelo aspecto da novidade. Mas quando os espectadores se cansarem de um programa, será necessário investir na criatividade da programação para iscá-los novamente.

A prática de jogos é muito difundida na Internet, embora seja atacada por moralistas e ilegal em muitas regiões. Seria tecnologicamente possível ter o jogo interativo na televisão, mas é provável que as autoridades nunca concedam a sua aprovação.

TEREMOS UMA ERA PÓS-IMPRENSA?

Mais da metade da minha vida, passei como jornalista da mídia impressa, portanto tenho um interesse comprometido com o futuro da imprensa. Não quero ver a imprensa desaparecer como meio, e isso certamente não acontecerá na perspectiva dos próximos cinco anos.

28. No Brasil, equivaleria a algo como o Show do Milhão, conduzido pelo apresentador-empresário Sílvio Santos. (N. do T.)

Além disso, a imprensa tem problemas, e esses problemas não envolvem a qualidade da redação ou da informação, mas principalmente do sistema de distribuição. Os jornais são os que correm o maior risco. A sua fraqueza inerente é que eles são cativos de práticas dos séculos XIX e XX. Eles derrubam árvores, cobrem-nas de tinta e usam caminhões para despachar essas publicações em fardos canhestros por toda uma área metropolitana.

Um colega meu do *Chicago Daily News*, um jornalista perspicaz e espirituoso, foi indagado uma vez sobre o que considerava o maior avanço tecnológico no jornalismo no século XX. Sem titubear, ele zombou: "O condicionador de ar. As redações de hoje são muito mais confortáveis do que as de antigamente".

A situação não é tão má assim, mas está próxima disso. O jornalismo diário tornou-se mais eficiente graças a todos os tipos de avanços tecnológicos, do computador ao telefone sem fio e à Internet. Mas a essência do jornal ainda se reduz ao ato final de imprimir e carregar os fardos de exemplares em caminhões que irão rolar pelas ruas da cidade com a sua carga de informação.

Os jornais têm duas escolhas. Se quiserem continuar sendo veículos de notícias, com ênfase nas *notícias*, terão de encontrar um sistema de distribuição que leve as informações aos seus assinantes e leitores antes que eles as obtenham de outras fontes. Isso praticamente descarta a impressão. É bem possível que algumas das experiências com o despacho dos jornais no formato PDF encontre êxito. Mas mesmo neste caso, os jornais terão de adaptar o seu produto a esse meio novo.

Se quiserem continuar sendo distribuídos pelo sistema arcaico atual, então terão de mudar a natureza do produto que oferecem aos leitores. Na maioria dos casos, o produto não são as notícias, mas podem ser informações de negócios, entretenimento, conselhos, literatura, ou qualquer outra coisa que atenda às necessidades dos leitores.

As revistas acham-se em uma posição diferente porque não dependem tanto do momento de publicação oportuno como os jornais. Mas isso não significa que a sua existência esteja garantida ao longo de todo o século XXI. A minha norma prática no mundo das revistas é que quanto maior a circulação, maior o desafio para sobreviver.

As revistas nacionais de massa foram as que mais sofreram desde a introdução da televisão. As publicações de nicho têm sido muito mais bem-sucedidas. Mas a Internet causará nas publicações de nicho um impacto semelhante ao da televisão sobre as revistas de massa. Uma vez mais, está na hora de as revistas se repensarem.

As revistas especializadas e dirigidas têm um futuro mais promissor. Mas elas não poderão confiar apenas na versão impressa. Será preciso criar comunidades, em vez de simples malas diretas. Elas terão de empregar recursos de multimídia, incluindo a Internet e talvez versões televisadas para atender aos seus leitores. Muitas já estão fazendo isso, mas muitas outras terão de fazê-lo em nome da sobrevivência.

■■■■

Conforme afirmei anteriormente neste livro, um novo meio não elimina o antigo. As publicações podem ter se desdobrado em face da concorrência, mas o meio impresso em si não desapareceu, e algumas revistas têm prosperado.

O futuro de qualquer negócio, setor ou profissão seria mais seguro se os seus participantes adotassem as técnicas básicas da boa administração. E o que administramos? Administramos pessoas. Administramos dinheiro. Administramos tecnologia. Administramos bens imóveis. Mas o que realmente precisamos aprender a administrar é a *mudança*.

A mudança está à nossa volta. Nunca pára. Temos mercados diferentes, concorrentes diferentes, clientes diferentes, valores diferentes, tecnologias diferentes. O modo pelo qual sobreviveremos aos próximos cinco anos e além é administrando essa corrente sem fim de mudanças. Precisamos aprender a prever as mudanças, a identificá-las e a reagir a elas. Isso talvez nos permita sobreviver.

Mas talvez haja um nível adicional, superior a ser conquistado: podemos *criar* as mudanças no mercado. Podemos fazer a concorrência reagir a nós e não o contrário. Podemos desenvolver novas tecnologias, explorar novos mercados, pensar e agir de novas e diferentes maneiras. Esse tipo de atitude e modo de agir nos permitiria não só sobreviver, mas prosperar durante décadas no futuro.

REFERÊNCIAS BIBLIOGRÁFICAS

Advertising Age, 22 de abril de 2002. "Top media specialist agencies", p. S-14.

__________, 20 de maio de 2002. "Top marketing services agencies", p. S-4.

__________, 1º de junho de 1964. "Lois hits critics of shops that go public", p. 8.

Agri-Food Trade Service, site na Internet (agri-trade.com), novembro de 2000. "The U.S. market for private-label foods."

Automotive News Databook, 2002.

Beer Institute, site na Internet (beerinstitute.org), 2002.

Electronic Media, 10 de junho de 2002. "Briefly noted", p. 3.

EMarketer, 1º de outubro de 2002. "U.S. consumer online buying and shopping grid."

Entry Media Incorporated, site na Internet (entrymedia.com).

Francese, Peter, 23 de março de 1998. "The gray continent", *Wall Street Journal,* p. A-22.

Friedman, Wayne, 23 de setembro de 2002. "Madison and Vine: Product placements rise at CBS." *Advertising Age,* p. 8.

Gardyn, Rebecca, outubro de 2000. "Moving targets", *American Demographics,* p. 32.

Goldsborough, Robert, 18 de março de 2002. "Marion Harper Jr.: from visionary leader to fallen idol to resurrected innovator." *Advertising Age,* p. C-22.

Inside Media, 26 de abril de 1995. "It can happen here", p. 29.

International Data Corp., 3 de abril de 2002. "U.S. online airline ticket sales, by sales channel, 2000-2005", eMarketer, site na Internet (emarketer.com).

Jupiter Research 2001, desenvolvida por eMarketer.

Kramer, Staci, 29 de abril de 2002. "VOD's ad-skipping irks Kellner", Cable World, site na Internet (kagan.com).

Lee, Richard A., Janeiro de 1997. "The youth bias in advertising", *American Demographics,* p. 47.

Leidig, Mike, 31 de agosto de 2002. "Advertising-supported system of free bikes is back on track in Vienna." Daily World Wire do *Advertising Age*.

Mayer, Martin, 21 de novembro de 1973. "How admen see their business — getting better", *Advertising Age*, p. 50.

MBIQ Media Consumption Study, novembro de 2001. Online Publishers' Association.

Mintel International Group Ltd., 25 de julho de 2002. Boletim à imprensa, "Are kids growing up too soon?"

Myers, Jack, 18 de março de 2002. "Mid-sized media buying groups lead in creative applications", *Jack Myers Report*.

Neff, Jack, 4 de junho de 2001. "Feeling the squeeze", *Advertising Age*, p. 1.

Newbart, Dave, 23 de setembro de 2002. "NUTV lets students watch cable on PC", *Chicago Sun-Times*, p. 9.

Northwestern Mutual Life Insurance Co., 1997. "Generation 2000", pesquisa conduzida por Louis Harris & Associates.

O'Dwyer, Gerard, 8 de agosto de 2002. "Danish company sells advertising space on prams", Daily World Wire do *Advertising Age*.

Ostrow, Joanne, 16 de julho de 2002. "TV executives divided on ad-zapping devices", *Denver Post Online* (denverpost.com).

Pew Research Center for the People and the Press, 9 de junho de 2002. Pesquisa, "Public's news habits little changed by September 11."

Tedeschi, Bob, 25 de março de 2002. "The catalog business J. Crew reaches a milestone as its sales over the Web exceed sales from its catalog." *The New York Times*, p. C6.

Thompson, Stephanie, 29 de abril de 2002. "Wal-Mart tops list for new food lines", *Advertising Age*, p. 4.

U.S. Census Bureau, 18 de outubro de 2001. Boletim à imprensa, "Labor force participation for mothers with infants declines for first time."

U.S. Census Bureau, março de 2001. Informativo do censo de 2000, "Overview of race and Hispanic origin."

Vranica, Suzanne, 31 de julho de 2002. "The guy showing off his hot new phone may be a shill", *Wall Street Journal*, p. B-1.

Wall Street Journal, 12 de dezembro de 1997. "Balance sheet, savings and debt by generation", p. R-5.

Federação Mundial dos Anunciantes, 24 de setembro de 2001. Boletim à imprensa, "Revolution in agency pay in Europe."